D1630741

Collection Romance au coin du feu

Titres Parus:

No: 1 Le Printemps Solitaire
         Jacques Christophe $ 1.50
No: 2 Ombre sur Hartfield
         Alex Jardine $ 1.50
No: 3 La Fin des Jeux
         Hélène Marval $ 1.50
No: 4 Les Fruits du Printemps
         Alex Marodon $ 1.50
No: 5 Le Sortilège Mexicain
         Emil Anton $ 1.50
No: 6 On ne sait Jamais
         Saint-Bray $ 1.50
No: 7 Le coeur de Priscilla
         Georgette Paul $ 1.50
No: 8 Jasmine, Fleur du Soleil
         Alex Marodon $ 1.50
No: 9 Sylvande aux Yeux Tristes
         Lise de Cère $ 1.50
No: 10 L'Ange du Remords
         Alexiane $ 1.50
No: 11 Par un très long Chemin
         Suzanne Clausse $ 1.50
No: 12 Quand ses Yeux me regardent
         Magda Contino $ 1.50

JACQUES CHRISTOPHE

JEROME
ET LE
BONHEUR

Roman

PRESSES SÉLECT LTÉE
1555 Ouest, rue de Louvain
Montréal, Qué.

DÉPÔT LÉGAL
Bibliothèque Nationale du Canada
Bibliothèque Nationale du Québec
2e trimestre 1979

I

Le Dahlia d'Or

Pour la première fois, Paris dressait des arbres de Noël en plein air, à la mode américaine. Il y avait foule dans les rues, ce jeudi. Le froid était vif. Devant la station de l'autobus 38, à l'Observatoire, les gens se pressaient autour de l'appareil distributeur, pour arracher un numéro d'appel.

Un étudiant d'une vingtaine d'années, grand et mince, nu-tête, arriva le dernier. A peine entre ses doigts, son ticket fut emporté par le vent et se posa sur la toison blonde d'une jeune fille. Cette chevelure était magnifique. On aurait dit un splendide dahlia d'or. Un soleil.

L'autobus émergea d'une file de camions et de voitures. Avec plus de précautions que s'il touchait à un réchaud enflammé, le voyageur tendit la main et reprit le ticket. La jeune fille sentit le contact des doigts du garçon : elle se détourna et le regarda d'un air interdit. Il lui montra le numéro. Elle comprit. Le receveur appelait :

— Huit cent-quarante-neuf.

Elle prit place sur la plate-forme. L'étudiant allait monter à son tour, mais l'homme cria :

— Complet.

Le voyageur éprouva de nouveau le sentiment qui l'avait saisi à la vue du papier emporté par le vent, un désir effréné de poursuite. Il se mit à courir. A la traversée du boulevard Montparnasse, le feu rouge arrêta l'autobus.

L'étudiant se faufila près de la toison d'or et sourit. Elle répondit à son sourire avec réserve.

— Excusez-moi, dit-il, j'étais si pressé.

Il gardait entre ses doigts les trois chiffres : 850.

Il allait dire : C'est un billet de loterie, mais l'attitude de la jeune fille lui fit garder cette pensée pour lui. Il s'efforçait de lui parler, d'attirer son attention : elle se tenait sur ses gardes.

— Un froid de canard, dit-il.

Elle acquiesça d'un petit signe de tête. Il s'aperçut qu'elle portait un sac à main en cuir vert et un paquet mince de forme allongée. Comme s'il désirait se présenter discrètement, il tira de sa poche une brochure intitulée « *Sérums et vaccins* ». Le nom de l'auteur était surmonté de lettres au crayon rouge (le propriétaire du livre) *Francis Valleray*.

— Vous descendez au Luxembourg ? demanda-t-il.

— Non. Place Saint-Michel.

— Moi aussi.

— Je vais chez des amis

— Moi aussi.

Ils traversèrent ensemble le boulevard et s'arrêtèrent au bord de la fontaine, devant l'arbre de Noël criblé de rubans rouges et bleus et de cheveux d'ange. Ils restèrent plusieurs secondes immobiles, au vent du nord, comme s'ils n'avaient jamais rien vu d'aussi beau.

Francis Valleray révéla qu'il faisait sa dernière année de médecine.

— Il ne me reste plus que les examens de clinique. Et puis, ma thèse... Et enfin, en route !

Il fit un geste de la main comme s'il lançait une balle.

— J'ai vingt-six ans, reprit-il. Hein ? Je n'ai pas traîné. J'ai marché d'un bon pas.

Elle répéta avec conviction :

— Oh ! certes, vous n'avez pas perdu de temps. Vous vous spécialiserez ?

— Non.

Il rit d'un air gêné.

— Il faut trop d'argent pour une installation d'ophtalmologiste, d'oto-rhino-laryngologiste, ou d'un autre spécialiste. Je suis plutôt pauvre... Mon père et ma mère sont morts l'an dernier. Je n'ai personne pour m'épauler.

« J'ai obtenu bourse sur bourse et prêt sur prêt. Mais je n'ai peur de rien.

Après un bref silence, il réclama :

— Et vous ?

Elle se nomma : Christiane Laurier, professeur de piano. Elle vivait en province à Mai-sur-Loire. Orpheline, elle aussi. Sa tante, la sœur de son père, veuve d'un officier, recevait une pension qui avait permis à Christiane de suivre les cours du Conservatoire.

— La plupart de mes élèves habitent à Paris. Cela m'oblige à de fréquents voyages.

Le paquet glissa des mains de Christiane. Francis le ramassa avec précaution ; la ficelle s'était dénouée.

— Ah ! dit-il. Merveilleux. Des souliers tombent devant l'arbre de Noël.

Christiane reprit ses escarpins en cuir vert, très légers. Elle dit à mi-voix :

— Je vais danser. Je suis invitée à une surprise-party chez des amis, rue de Seine.

— Je vous accompagnerai jusqu'à la porte, Voulez-vous ?

— Volontiers.

Ils se remirent en marche, remontant leurs cols sur leurs joues glacées. L'un et l'autre portaient un de ces manteaux en poil de lama qui semblaient l'uniforme des étudiants. Ils ralentissaient le pas à mesure qu'ils s'approchaient du but, parlaient d'études, de voyages, de sports. Tout à coup, elle dit :

— C'est ici.

Francis Valleray montra une figure déconfite et sombre :

— Alors, nous ne nous reverrons plus sur la terre ?

Christiane Laurier feignit de ne pas entendre :

— C'est au quatrième, à gauche, dit-elle.

Il parut pris d'une inspiration heureuse.

— Je vous accompagne jusqu'au quatrième. J'espère qu'il n'y a pas d'ascenseur.

Ils commencèrent de monter lentement les étages. A chaque palier une banquette : ils s'asseyaient. Des bouffées de musique se répandaient avec la douceur d'un clair de lune. Les jeunes gens exhibèrent leurs petits agendas et chacun écrivit le nom et l'adresse de l'autre.

— Premier souvenir, dit Francis en glissant dans la poche le carnet où l'écriture de Christiane était enclose.

— Et me voici au port ! annonça-t-elle, au seuil du quatrième étage.

Christiane regarda sa montre : il leur avait

fallu trois quarts d'heure pour gravir les escaliers.

— La porte du paradis, Christiane, dit Francis avec regret. Attendez encore un peu.

— Non. Venez avec moi. Je vous présenterai à mes amis. Vous serez mon danseur. Les partenaires masculins ne sont jamais assez nombreux.

Elle sonna. Il lui sembla que le mot de Francis était juste et que s'ouvrait réellement la porte du paradis.

La musique était maintenant vivante et brillante comme un arbre en fleurs. Il ne s'agissait pas d'une musique de danse mais d'une simple sonate de Mozart où la joie et la mélancolie se mêlaient.

Une petite fille, en robe plissée bleu marine, vint embrasser Christiane Laurier.

— Lydie, ma meilleure élève.

Lydie choisissait les disques et les glissait elle-même sur le phonographe, sans souci des danseurs, et comme aucun rythme ne se prêtait à la danse, la jeunesse buvait et mangeait.

Dans l'antichambre, Christiane changea ses gros souliers à semelles crêpe contre ses escarpins verts. Sur un divan, des canadiennes, des blousons en cuir, des foulards multicolores étaient entassés pêle-mêle. Francis jeta sur cet amoncellement bigarré son manteau et son livre « Sérums et vaccins ».

Simone Meunier, la fille aînée de la maison, accueillit Christiane et Francis. Sans cesse de nouveaux couples survenaient et se rassemblaient devant le buffet chargé de sandwiches, de gâteaux, de bonbons, de fruits confits, de tasses de thé, de cocktails.

— Oui, le jeu consiste à manger, dit Simone. Faites comme tout le monde, Christiane.

Un peu plus tard, Lydie ayant enfin trouvé une valse à son goût, Francis et Christiane entrèrent dans la danse. Emportés par le rythme, il leur sembla tomber des nues quand la dernière note s'éteignit. Alors, dans le silence, la voix moqueuse de Simone Meunier annonça :

— La province est au complet.

Christiane lâcha le bras de Francis Valleray et, se détournant, elle étouffa un cri.

Un grand garçon à figure amère, aux yeux sombres, immobile, était tourné vers elle et la considérait d'un air de reproche si douloureux qu'elle s'élança pour lui serrer la main.

— Est-ce que je rêve ? Toi, ici, Jérôme.

Une voix caverneuse répondit :

— Oui, moi, Christiane.

— Comment es-tu venu ?

— Par le train.

Elle demanda poliment :

— Avec qui danses-tu ?

— Avec mon ombre.

Elle eut un rire contraint et revint auprès de Francis Valleray.

— Qui est-ce donc ? réclama-t-il.

— Un ami. Jérôme Milan, le fils du médecin de Mai-sur-Loire.

— Voulez-vous me présenter ?

— Certainement.

Jérôme avait déjà quitté le salon. Il discutait dans l'antichambre avec Lydie qui lui tenait tête et criait :

— Non, non et non.

Christiane appela le jeune homme :

— Jérôme, venez faire connaissance avec un futur médecin.

Il répondit brutalement :

— Je me moque bien de cet individu. Fichez-moi la paix.

Jérôme reprit sa discussion avec Lydie qui déclara avec une docilité soudaine :

— Comme il vous plaira, sire.

Elle lui céda sa place devant le phono. Il s'approcha du casier où les disques étaient rassemblés. Après un choix attentif il appela Lydie Meunier.

— Faites tourner celui-ci et tout de suite après, celui-là.

Le premier était intitulé « Passenger trains » (Train de passagers), le second « Music from Pacific (Musique du Pacifique).

A ce moment, Simone invita Francis et Christiane au buffet :

— Quelqu'un a porté des pralines délicieuses. Goûtez-y.

Francis interrogea Simone sur sa profession de laborantine.

— Parlez-moi plutôt de la vôtre. J'aurais tant voulu faire ma médecine.

— Votre travail ne vous plaît pas ?

— Si, beaucoup. J'aurais préféré pourtant être pédiâtre. J'aime les enfants.

Elle croqua une praline couleur de châtaigne. Francis cherchait du regard Christiane Laurier. Simone devina son inquiétude :

— Votre danseuse est partie, mon cher. Bien dommage. Nous avons une musique à faire frétiller des cloportes et danser des petits bouts de bois. Et Jérôme Milan mène le bal. Il a bon goût.

Il s'agissait d'une musique brutale, mais personne n'y prêtait attention. Simone abandonna Francis tout abasourdi. Avait-il rêvé ? Ah, certes il était venu dans ce salon comme dans un songe et celle qui l'avait accompagné s'était éclipsée sans lui dire au revoir. La toison blonde, le dahlia d'or, lui échappait pour toujours peut-être. Il résolut de partir à sa recherche. Dans l'antichambre il vit que Jérôme était en train de feuilleter son livre « Sérums et vaccins ». Il le regarda tout interdit, sans risquer la moindre observation. Lydie s'impatientait.

— Cela suffit. Arrêtez votre horrible disque. Il faut de la musique à présent. Vous savez bien que Christiane ne peut supporter ce vacarme diabolique.

Il ricana et jeta avec mépris le livre de médecine sur l'amoncellement de manteaux. Francis lui lança un regard de colère. Il gronda :

— Quel sans-gêne.

Jérôme lui tourna le dos et s'approcha du buffet.

— Je ne reverrai plus Christiane à Paris, pensait Francis Valleray. Heureusement que j'ai son adresse.

A ce moment la porte s'ouvrit et la jeune fille apparut. Il s'élança joyeusement vers elle :

— Où étiez-vous donc ?

— Je me suis enfuie en me bouchant les oreilles pour ne pas entendre le tam-tam.

Francis la regardait avec une suprise intense.

— Je ne comprends pas, dit-il. Expliquez-vous ?

Rien de moins facile à expliquer. Christiane était musicienne. Elle avait ses entrées dans un monde où beaucoup de gens ne pénètrent pas. Elle se promenait dans le domaine des sons comme dans un champ de fleurs dont les unes étaient parfaites et les autres monstrueuses (musique de bastringue et de chevaux de bois).

Lorsqu'elle entendait une de ces rengaines, elle ne pouvait l'oublier : l'ennemie s'infiltrait dans sa mémoire et revenait l'obséder.

— Impossible de me défendre. Je suis forcée parfois de ruminer pendant des heures certains couplets abominables que des garçons ou des filles ont chanté dans le train. Quand je peux échapper au danger, Francis, je n'hésite pas à fuir. Mais oui. Pourquoi riez-vous ?

Cette fois le jeune homme dit :

— J'ai compris.

Jérôme Milan avait lancé sur les talons de la musicienne ces chiens sonores pour la chasser d'un bal où elle dansait avec Francis. Car Jérôme aimait jalousement Christiane et jusqu'à ce soir, elle avait cru l'aimer elle aussi.

II

Un joyeux petit voyage

Le lendemain matin, comme elle s'installait dans un compartiment de troisième classe, Christiane Laurier pensait :

— Je n'aimais pas, je n'ai jamais aimé Jérôme. Si je l'avais aimé, l'apparition d'un inconnu comme Francis Valleray ne m'aurait pas fait la moindre impression. Je lui aurais dit de passer son chemin. Voilà tout.

Déjà l'année dernière, quand Jérôme était venu lui annoncer qu'il allait prendre part à l'Expédition Régille-Arnoire, au sommet du Chimborazo, elle eût éprouvé une angoisse mortelle et fait l'impossible pour le détourner de son projet. Au contraire, elle l'avait félicité, encouragé. (Je suis contente de te voir réaliser un de tes rêves, mon ami).

Oui, au moins un. Jérôme en avait forgé de si nombreux depuis l'enfance et Christiane, sa confidente, s'efforçait inlassablement de lui rendre l'espoir quand il se désespérait. Mais pourquoi semblait-il voué à l'échec ? Le jour fixé pour ses examens, il était régulièrement malade. Il avait passé son P.C.B. la veille de partir pour le régiment. Pendant son service militaire, il avait eu toutes les malchances. Et finalement, sur le point d'être accepté par la Mission Régille-Arnoire, il avait reçu une lettre de refus. L'équipe était au complet.

Quelle différence avec ce Francis, un peu trop infatué peut-être, mais si gai, tellement doué, réussissant tout ce qu'il entreprenait, toujours premier aux examens et aux concours. Dans quelques mois, il aurait une belle situation, il se marierait, il s'installerait à Paris ou à la campagne, selon les goûts de celle qu'il épouserait...

Distraitement, elle feuilleta un magazine. Jolies robes, charmants ensembles, tout la tentait. Elle commençait à lire des recettes de beauté. La portière s'ouvrit. Elle leva les yeux :

— Ah ! c'est toi !

Et elle sourit en voyant Jérôme grimper dans le wagon, jeter une mallette dans le filet et s'asseoir à côté d'elle.

— Bonjour. Ça va ?

— Oui, ça va. Je sais que tu n'aimes pas voyager seule.

— Je ne t'avais pas dit quel train je prendrais.

— J'ai des antennes.

— Il était temps.

Elle montra l'horloge du quai. Le haut parleur annonçait : « Attention. Les voyageurs pour Orléans, Blois, Tours, Chateauroux... »

Christiane appuya sa nuque à la cloison rembourrée de cuir dur. Elle se sentait tout à coup heureuse et tranquille. Jérôme n'était-il pas son plus ancien ami, un frère ? Elle répéta :

— Eh bien, il était temps, il était temps, comme si elle ne trouvait rien de mieux à dire.

Jérôme Milan prit tout de suite l'attaque :

— Et alors, cet escogriffe qui dansait avec toi, chez les Meunier, d'où sort-il ? Comment l'as-tu rencontré ?

— Mais dis donc, mon vieux, est-ce que j'ai des comptes à te rendre ?

Elle tira de sa poche un sandwich et se mit à manger avec affectation.

— Tu ne l'as tout de même pas rencontré dans la rue ? Non ? Dans le train ? L'autobus ?

Elle haussa les épaules :

— Ah ! ce que tu m'agaces.

Il se rembrunit ; elle feignit d'observer des enfants qui se poursuivaient dans le couloir. Quand elle eut fini le sandwich, Jérôme ouvrit sa mallette à peu près vide, hormis une demi-douzaine de tranches de cake dans de petits sachets en papier cristal.

— Je les ai achetés pour toi, dit-il. Je déteste les gâteaux.

Elle répéta :

— Comment savais-tu que je prendrais ce train ? Comment es-tu venu tout droit à mon compartiment ?

Elle mordit dans la tranche de cake.

— Tu es vraiment un chic type, Jérôme.

— Nous avons de la chance, dit-il. Nous sommes seuls. Sur cette ligne, c'est rare. A cette heure, d'habitude, il y a foule. Les enfants, ça ne compte pas.

Ceux-ci, rappelés par leurs parents, avaient disparu. Jérôme et Christiane allèrent dans le couloir et regardèrent la route qu'ils connaissaient par cœur. Jérôme ne pensait plus à Francis Valleray. Il disait : « Te souviens-tu ? » Ils avaient tant de souvenirs communs !

Ceux-ci les accompagnèrent des plaines de la Beauce au val de la Loire. Que de dînettes ils avaient fait ensemble dans leurs jardins. Les cailloux blancs étaient du sucre, les feuilles de magnolia du café.

— Quand nous nous disputions, tu avais toujours l'avantage, Christiane.

— Rien n'est changé.

Ils riaient. L'express semblait vraiment les emporter de l'enfance à la jeunesse. A présent ils faisaient partie de ce monde haï par eux autrefois, où régnaient les adultes.

— Aimerais-tu vivre à Paris, Christiane ?

— Oui. Et toi ?

— Moi ? Même si je le pensais, je n'oserais pas le dire, devant « Elle », répondit-il en désignant de la main la Loire en robe d'hiver aux plis épais ourlés d'écume.

— Nous arrivons aux Aubrais. Viens, Jérôme.

Il s'empara des bagages de la jeune fille et sauta sur le quai le premier.

— Que ferons-nous en attendant la correspondance ? demanda Christiane.

Elle s'approcha d'un kiosque à journaux et choisit plusieurs magazines qu'elle enfouit dans sa valise à côté d'un volume gris tout neuf, intitulé « Préludes et Impromptus ». Son compagnon avait-il pensé à faire ses achats de Noël ?

— Non, ma chère, plus un sou. La S.N.C.F. m'a tout pris.

Elle referma sa valise et le regarda avec stupeur. Il poursuivit :

— Mon père m'a coupé les vivres, tu le sais bien. Tant que je n'aurai pas flairé l'encens fétide de l'hôpital, il me considérera comme un rénégat.

Elle pensa à Francis Valleray et ne put retenir un soupir.

— Je te plains, mon ami. Je voudrais te voir heureux, mon pauvre Jérôme.

— Ne me plains pas. Tant que je pourrai causer avec toi, te voir et t'entendre, la vie sera plus belle pour moi que pour quiconque.

— Et si tu étais mort dans l'expédition du Chimborazo ?

— Très différent. Je ne t'aurais pas quittée pour cela. Au contraire, je t'aurais suivie partout.

— Assez ! Je n'aime pas ce genre de conversation. Si tu avais eu un peu d'argent, nous aurions pris le car et nous serions arrivés chez nous une heure plus tôt.

Jérôme Milan ne tenait pas à abréger ce joyeux petit voyage. Il s'assit sur un banc, dans la salle d'attente des troisièmes, à côté de Christiane qui feuilletait les *Préludes* de Chopin.

— Pré-lude, ça veut dire : avant le jeu, avant la vie, remarqua Jérôme.

Elle répondit :

— La vie n'est pas un jeu.

— Nous savons cela.

Elle l'interrogea d'un ton soudain plein d'inquiétude :

— Que feras-tu, Jérôme ? Tu ne peux pas rester dans l'oisiveté. Il faut penser à l'avenir.

Il lui jeta un regard méfiant :

— Je n'ai pas l'intention de rester oisif, ma chère. L'ai-je jamais été ? Rassure-toi. Aujourd'hui, il y a du travail pour tout le monde. Au besoin, je me ferai laveur d'or chez les Indiens, en Bolivie.

— Il n'est pas nécessaire d'aller si loin, dit Christiane d'un air excédé.

— Eh bien, contentons-nous du présent. Il est dix heures vingt. Nous avons trente minutes pour nous deux seuls. Nous pouvons en faire ce que bon nous semblera. De l'or, de l'argent, du cuivre ou des chiffons. A quoi penses-tu ?

— Toujours à la même chose. Mardi, Noël. J'ai acheté une boîte en cretonne pour ma tante.

— Et tu comptes sur un cadeau en retour ?

— Oui. Une robe.

— Tu en as cinquante. Moi, j'ai choisi une cravate en soie verte avec des têtes de chevaux imprimées en soie blanche. Je te prie de ne pas regarder constamment l'horloge.

Elle se mit à fredonner. Il réclama :

— Combien as-tu d'élèves à Paris, Christiane?

— Six, mon vieux. Huit cents francs de l'heure et une heure par semaine.

— Beaux revenus. Et à Mai-sur-Loire ?

— Quatre élèves à cinq cents francs. Quatre mille huit et deux mille, ça fait six mille huit cents francs par semaine.

— Alors, tu gagnes ta vie, bravo. Je pourrais peut-être donner des leçons, moi aussi. Cherche-moi des élèves à Paris. Chez les Meunier, par exemple. Cette gosse qui fait tourner le phono ?

— Lydie ? Elle va au collège. Elle apprend tout ce qu'elle veut. Et sache que ce n'est pas une gosse. Elle a quinze ans.

— Quinze ans ! Je lui en aurais donné dix.

— Elle est petite et chétive pour son âge.

— Sa sœur ? L'espèce de pimbêche brune ?

— Elle vole de ses propres ailes. Des ailes de laborantine, c'est solide.... Viens Jérôme. Le train doit être formé... Si nous choisissions notre compartiment ? Nous serions plus tranquilles.

— Excellente idée.

Jérôme et Christiane s'installèrent face à face dans un compartiment vide et reprirent leur conversation sur les moyens les plus sûrs de gagner de l'argent dans une difficile époque.

— Je parlerai de toi à un de mes anciens professeurs du Conservatoire.

— Merci. Ne tarde pas.

— A la rentrée de janvier. Pas avant. Cherche de ton côté, mon vieux. Tes parents n'ont-ils pas des relations, des amis ?

— Je tiens à me débrouiller moi-même. Toi et moi, c'est pareil. Allons, Christiane, donne-moi mon cadeau de Noël. Nous sommes seuls. Chante un lied de Schubert.

— Lequel ?

— Celui que tu voudras.

Sans une minute d'hésitation, elle commença :

> *Dans le cristal limpide*
> *D'un torrent écumant,*
> *La truite rapide*
> *Se balançait gaiement.*

Elle s'interrompit. Une figure ronde et rose d'enfant apparut derrière la porte vitrée.

— Continue ! dit Jérôme.

Elle reprit à mi-voix :

> *Je contemplais heureux*
> *De sa course légère*
> *Les ébats gracieux...*

— Plus fort ! insista Jérôme.

Le petit garçon du couloir avait disparu. Christiane poursuivit :

> *Sur la rive opposée*
> *Un rocheur froidement*
> *De la bête rusée*
> *Sait chaque mouvement.*
> *Tant que cette onde claire*
> *Pensai-je, coulera,*
> *Ton amorce grossière*
> *Jamais ne la prendra.*

L'enfant avait donné l'alerte et le couloir s'était soudain rempli de voyageurs.

— Christiane, dit Jérôme, je t'en supplie, continue.

Mais la jeune fille ne l'écouta pas. Comme il se renfrognait, elle lui dit :

— Je chanterai à la messe de minuit. Oui, je chanterai un couplet pour toi.

— Tu chanteras La Truite, sotte ?

— Je ne sais pas encore ce que je chanterai, dit-elle mystérieusement, mais je te le promets, il y aura une parole pour toi seul.

— Quelle parole ?

— Je l'ignore. Mon choix n'est pas fait. Tu comprendras facilement quand même. Je m'arrêterai net, au beau milieu d'un couplet, et puis je reprendrai. Alors, tu sauras que je m'adresse à toi. Je te lancerai une balle de musique.

— Tu es une chère petite merveille, dit Jérôme.

Il était si content qu'elle voulut le combler et comme le train s'ébranlait, elle se remit à chanter doucement :

> *Le pêcheur, las d'attendre,*
> *Par un piège nouveau*
> *Cherchant à la surprendre,*
> *Méchamment trouble l'eau.*
> *Tout à coup, ô surprise !*
> *Tirant le hameçon*
> *La truite était prise.*
> *Hélas, pauvre poisson.*

Jérôme avait de nouveau un air froid et sévère. Il regardait en silence Christiane qui souriait.

— A quoi penses-tu, grincheux ? Qu'est-ce qui ne va pas ?

Il se contenta de répondre :

— Méfie-toi des pièges, Christiane. Méfie-toi de ceux qui troublent l'eau claire. L'eau pure...

III

Il n'a pas encore pensé au mariage

Le docteur Paul Milan ronflait à côté de sa femme Henriette qui songeait, immobile, les yeux grands ouverts dans la nuit. Jamais elle ne s'était sentie aussi lasse et déprimée. Dans certaines professions, à cinquante-cinq ans, les travailleurs prenaient leur retraite.

— Mon âge, pensait-elle, et mon pauvre Paul a dix ans de plus que moi. Comment tiendrons-nous tous les deux ?

L'homme se retourna sur le côté gauche, il cessa de ronfler et la femme entendit le tic-tac de la montre placée sur un petit rond de flanelle.

D'habitude, pendant ses insomnies, elle n'avait qu'une seule crainte, le tintement de la sonnette de nuit, l'appel d'un malade à dix ou quinze kilomètres, au fond des terres. Mais ces alertes étaient rares et les paysans si durs à la souffrance qu'ils préféraient attendre le jour plutôt que de déranger celui qu'ils appelaient familièrement « le vieux ».

La pendule du rez-de-chaussée égrena lentement des sons argentins. Henriette Milan les compta. Onze. Il était temps de dormir. Mais rien à faire, à présent. Elle n'avait qu'une seule pensée : son fils, son Jérôme qui refusait de mettre le pied à l'étrier et vivait dans les rêves : sommets, glaciers, aventures. Un si bon cœur. Un si brave enfant plein d'enthousiasme et de générosité.

— Nous l'avons eu trop tard, hélas. J'ai été si faible éducatrice et Paul si sévère.

Jérôme n'était pas tout à fait comme les autres garçons de son âge. Lorsque sa mère lui posait cette question : « Dis-moi ce qui te plairait, mon petit », il faisait toujours une réponse extravagante.

On ne pouvait pas dire qu'il ne cherchait pas sa voie. Le père en avait eu la preuve hier même. Mécontent du départ de Jérôme pour Paris, le docteur avait perquisionné dans la chambre du jeune homme. Tremblante, Henriette le suivait pendant qu'il renversait des petits livres bien connus d'elle : *Guide pratique et programme des certificats d'études supérieures* (*Licence ès lettres*) ; *Ecole Libre des Sciences Politiques* : *organisation et programme des cours, année*

scolaire 1951-52 ; *Programme de l'Ecole Nationale des Chartes* ; *Programme des conditions
exigées pour l'obtention des grades dans les
Facultés de Droit* ; *Ecole des Hautes Etudes
sociales.*

Sous le regard terrifié de la mère, un lot de
brochures s'envola aux quatre coins de la chambre : c'étaient les guide-carrières. La carrière
des assurances, le Guide des carrières adminis-
tratives, etc.

Henriette Milan aurait pu réciter par cœur
ces règlements à son mari. Jérôme n'avait pas
de secret pour sa mère. Elle partageait ses
espoirs toujours renaissants, toujours déçus.
Partout Jérôme se heurtait à la limite d'âge.

— L'imbécile se donne bien de la peine pour
chercher midi à quatorze heures, avait dit Paul
Milan. Je ne lui laisserai pas un sou pour ses
cours et ses voyages aux Ecoles et Facultés.

Et tout à coup, avec un rire de mépris :

— Ah ! Ah ! voici des documents d'un autre
genre.

Il s'agissait de feuilles imprimées sur papier
glacé, multicolores :

SPORTS D'HIVER
VACANCES DE NOEL
TRAINS SPECIAUX D'EXCURSION POUR
LES FETES DE PAQUES

SERVICES ROUTIERS
DE GRAND TOURISME

Et des placards de publicité :

MEGEVE
MARS ET PAQUES
SKI-SOLEIL
PASSEZ VOS VACANCES EN CROISIERE.
EN GRECE ET EN TURQUIE

« A bord du S/S Olympia. Visitant Syracuse, Athènes, Corinthe, l'Argolide. »

— Beau programme pour un fruit sec. Je ne lui donnerai pas un franc, pas un centime.

Au milieu de ces paperasses, le docteur avait découvert avec surprise des notices de laboratoire sur les nouveaux remèdes et traitements antibiotiques, mais cela ne pouvait l'apaiser.

— Esprit de contradiction. Il me croit l'ennemi des novateurs. Il m'a entendu critiquer, non les méthodes de notre âge d'or, mais les expériences d'imprudents crétins.

Henriette Milan avait essayé en vain de défendre son fils. Le docteur répondait :

— N'insiste pas. Mon opinion est faite. C'est un paresseux.

Enfant, chaque fois qu'il apprenait la mort d'un malade du pays, Jérôme demandait à sa mère : « Alors, papa n'a rien pu faire pour lui ? » — « Mon chéri, répondait-elle, il aurait fallu un miracle. Le cas était désespéré. » — « A-t-il souffert pour mourir » — « Oui. » — « Mais la morphine ? » — « La morphine n'agit pas toujours. » — « A d'autres le métier, disait le garçon. Mieux valait peut-être donner aux hommes quelques lignes harmonieuses, un poème ou une mélodie.

Paul Milan se tourna sur le côté droit et s'éveilla. Il dit :

— A quoi penses-tu ?

Henriette ne répondit pas.

— Je sais bien à qui tu penses, ma chérie. A ton fruit sec.

Elle étouffa un soupir.

— Hélas, il n'est pas heureux, mon ami, et il n'y a qu'un seul âge pour être heureux pleinement : la jeunesse.

Le rire qui monta dans l'ombre était capable de réveiller Jérôme, s'il dormait dans sa chambre au bout du couloir.

— Heureux ! Heureux ! gronda le docteur. Tu connais des gens heureux, toi ?

— Il y en a peu, mais il y en a. Le désir normal des parents n'est-il pas que leurs enfants...

Il l'interrompit avec brusquerie.

— Je connais l'antienne. Le désir normal des parents est que leurs fils fassent œuvre utile. Pas d'autre bonheur à ma connaissance.

Henriette soupira de nouveau et le vieil homme eut comme un regret. Certes, il avait été privilégié, lui, puisqu'il s'était épris d'une femme parfaite. Mais de nos jours, ce phénomène était rare et Jérôme n'avait aucune chance d'en rencontrer.

— Sais-tu quelle fille épousera notre brillant sujet ?

— Mon ami, il est bien jeune. Il n'a pas encore pensé au mariage.

— Je crois qu'il tourne autour d'une claque-patins, la petite Laurier, une pianiste qui court le cachet et ne sait sûrement pas faire cuire un œuf sur le plat.

Henriette observa tranquillement :

— Tu exagères, mon chéri. Christiane est une jeune fille sérieuse qui saura bien tenir une maison. Mais la nuit s'avance. Nous ferions mieux de dormir.

Cinq minutes plus tard le docteur ronflait de nouveau et Henriette Milan pensait toujours au même problème : l'avenir de son fils. Elle savait le but du voyage à Paris : surveiller Christiane. Au retour, le garçon paraissait plein d'espoir. La mère avait tout remis en ordre dans la chambre, mais Jérôme s'était tout de même aperçu de l'inspection paternelle.

— Que cherchait-il, mère, je t'en prie, dis-le moi ?

— Mon petit, ne te tracasse pas. Est-ce qu'il te manque quelque chose ?

— Non, rien, sauf la confiance de mon père. Il m'a toujours méprisé.

— Oh ! Jérôme.

— Quand j'étais enfant, il me forçait à le suivre dans ses visites médicales, ce qui me déplaisait, et à la chasse, cela me répugnait encore bien plus. Ah ! je vois toujours son regard fulgurant lorsqu'il me disait tout bas : « Tire, idiot ! » J'avais si peu envie de tirer. Nos goûts sont diamétralement opposés en tout et pour tout. Je ne le comprends pas et il me comprend encore moins. Bah, maintenant j'espère échapper à sa tyrannie.

Ces derniers mots inquiétaient beaucoup la mère. Elle craignait que Jérôme n'eût de nouveau un projet d'évasion au bout du monde. Elle savait la cause du refus de la Mission Régille-Arnoire. Après avoir dit simplement à sa femme : « Laisse-le tomber des nues pour apprendre à marcher sur la terre », le docteur écrivit à Pierre Régille :

« Cher Monsieur,

« Je regrette de vous dire que mon fils n'a « pas la santé suffisante pour prendre part à

« vos exploits. Veuillez considérer sa lettre com-
« me nulle et non avenue.

« Sentiments distingués.

Dʳ Paul MILAN. »

IV

Embrasse-moi, Christiane

Le lundi après-midi vers quinze heures, Mme Laurier, la tante de Christiane, tricotait, assise près de la fenêtre, en surveillant les rares passants qui traversaient la petite rue glacée. De temps à autre elle interpellait sa nièce dont la présence dans le salon voisin était révélée par quelques accords frappés sur un piano aux sons un peu voilés, assourdis.

— Que fais-tu, Christiane ?

— Ce que je fais ? Moi ? Tu ne l'entends pas ? Alors, devine !

Elle était en train de choisir son cantique de Noël lorsque la voix du facteur résonna :

— Quel froid, madame Laurier, je suis bien content d'avoir fini ma tournée.

Il posa le courrier sur la table pendant que Mme Laurier faisait chauffer du vin sucré.

— Reposez-vous, dit-elle. La nuit tombe déjà. Vous avez toujours tant de travail à l'approche des fêtes.

— Avec ou sans fêtes, c'est bien le même traintrain et mon plus gros client est le fils du docteur.

— Vous m'étonnez.

— C'est comme ça. Il reçoit des lettres de tous les pays du monde. A lui seul, je le disais à sa mère, il vaut tout un bataillon. Je ne comprends pas que son père soit si dur pour lui.

— Le docteur n'est pas dur, il paraît seulement un peu rigide. Au fond, il est très bon, très sensible.

Lorsque le facteur se retira, Mme Laurier appela Christiane.

— Une lettre pour toi !

Ce n'était pas une lettre, mais une simple carte, quelques mots :

« Donnez de vos nouvelles, S.V.P. »

« Francis. »

La jeune fille fut saisie de surprise joyeuse. Elle ne s'attendait pas à un si prompt message. Sa tante la regardait d'un air interrogateur. Il fallait bien lui donner une explication.

— Un type de Paris avec qui j'ai dansé chez les Meunier.

— Que te veut-il ?

— Rien.

Elle montra la carte. Mme Laurier haussa les épaules :

— Quelles façons, dit-elle. Quelles manières.

Puis elle examina longuement avec méfiance l'image coloriée, comme s'il y avait une énigme à déchiffrer. C'était la reproduction d'une tapisserie du XVIe siècle, à Cluny ; la fameuse dame à la licorne. Plusieurs fois, elle lut la légende imprimée au verso en plusieurs langues :

The lady and the unicorne (Hearing).

La dama dal unicorno (L'udito).

Vêtue de drap d'or, la dame jouait du luth tandis que derrière elle, une créature triste et songeuse tenait entre ses pattes un étendard rose.

— Et alors, dit Mme Laurier, je n'y comprends rien, si ce n'est que ce monsieur connaît ta qualité de musicienne. Serait-ce un élève ? Je te mets en garde...

Christiane pouffa :

— Un élève ? Bien sûr que non. Je te l'ai dit : un danseur exceptionnel. Une fois n'est pas coutume.

Elle emporta négligemment la carte et pendant dix minutes toute la maison retentit de gammes et d'arpèges joués à une allure vertigineuse.

Après le dîner, Christiane se remit à feuilleter son livre de musique religieuse sans trouver ce qu'elle cherchait. Elle ne pensait plus qu'à Francis Valleray. Comment ces quatre mots à peine polis pouvaient-ils lui faire un tel plaisir ? Elle lui répondit sur une carte du val de Loire :

« Je vais bien. Et vous ?

« Christiane L. »

Vraiment elle avait ressenti à sa rencontre de jeudi, ce choc, cet attrait appelés jadis coup de foudre. Il fallait que ce fût réciproque pour pour que le garçon eût si vite écrit.

L'allégresse de Christiane était si grande qu'elle ne voulait faire de peine à personne. Elle avait promis à Jérôme Milan de penser à lui à la messe de minuit. Elle tiendrait sa promesse. Elle choisit le cantique de Fénelon « Amour, honneur, louanges », et s'accompagnant en sourdine au piano, elle chanta tout doucement :

> Amour, honneur, louanges
> Au Dieu sauveur dans son berceau
> Chantons avec les anges
> Un cantique nouveau.

La figure de Mme Laurier apparut à la porte du salon :

— Alors, tu as trouvé ? Les paroissiens de Mai diront que c'est vieillot... Comme partout, ici, ils ne veulent que du moderne.

— Je ne leur demanderai pas leur avis. Est-ce moi qui dirige la maîtrise, ou une autre ? D'ailleurs Fénelon est très à la mode en ce moment.

Mme Laurier battit en retraite. Christiane se remit à fredonner le cantique. Le cadeau de Jérôme Milan serait enfermé dans le second couplet.

> *Si notre cœur est dans l'ennui*
> *Nous ne devons chercher qu'en Lui*
> *Et notre force et notre appui.*
> *Loin de nous les alarmes,*
> *Le trouble et les soucis fâcheux*
> *Un jour si plein de charmes*
> *Doit combler tous nos vœux.*

Elle se coucha de bonne heure et dans son sommeil, elle entendit sans trêve le cantique de Fénelon. Le lendemain matin elle était bourrelée d'irrésolutions et d'inquiétude. A travers une prière, oserait-elle faire, devant Dieu, à un homme une fausse déclaration d'amour ? Quelle vilenie !

Deux voix parlaient en elle : l'une défendait Jérôme, l'autre Francis. La première lui disait :

— Tu aimes Jérôme depuis toujours. Et Francis représente à tes yeux l'inconnu. Sans explication ni regret, il disparaîtra comme il est apparu, en plein vent, un ticket d'autobus à la main.

La seconde grondait :

— Laisse Jérôme. Ne te leurre pas. Ne le leurre pas non plus. C'est Francis Valleray que tu aimes. As-tu jamais ressenti cet allègement,

cette joie que tu connais depuis jeudi ? Tel est
l'amour. L'autre sentiment s'appelle l'amitié.

Ces débats durèrent toute la journée. A la
veillée, les jeunes filles venues répéter les
chants de la nuit, l'égayèrent et lui firent oublier les problèmes que le temps pourrait d'ailleurs très bien résoudre.

Accompagnée de la maîtrise elle arriva à la
tribune par le petit escalier du clocher. L'église
était encore dans l'ombre, hormis l'autel où les
cierges s'allumaient lentement. Christiane posa
sur le pupitre de l'orgue son cahier ouvert,
puis elle s'accouda à la balustrade et regarda les
fidèles prendre leurs places dans la nef.

Bientôt Jérôme arriva en compagnie de sa
mère. Selon l'usage immémorial à Mai-sur-Loire,
le jeune homme s'agenouilla au banc des no-
tables, puisqu'il représentait le docteur Milan.
Ainsi n'avait-il pas besoin de tourner la tête
mais de lever discrètement les yeux pour voir
la toison d'or dans l'ombre de la tribune.

Sous la direction du vieux Jean-Pierre, chan-
tre et sacristain qui portait un surplis empesé,
les enfants de chœur chantèrent comme d'habitude, sans accompagnement, le *Kyrie* et le
Gloria. Naguère Jérôme se trouvait au milieu
du chœur et Christiane n'avait pas oublié sa
voix cristalline qui faisait dire aux gens de
Mai-sur-Loire :

— Le petit garçon du docteur chante comme
un ange.

Pas de sermon, cette nuit-là. Après le *Credo*, Christiane Laurier commença de jouer un choral de ·J.S. Bach. Et tout à coup un souvenir d'une lecture la frappa, ces paroles d'un élève du compositeur :

— Maître, ta musique me donne l'impression que je ne pourrais accomplir une mauvaise action pendant au moins une semaine après l'avoir entendue.

Puis elle fut délivrée de toute crainte, de tout souvenir et quitta ce monde comme l'oiseau s'envole d'un arbre.

Cependant le choral se déployait, montait et envahissait le cœur inquiet de Jérôme Milan. J.S. Bach ne lui apparaissait pas comme un homme, mais comme une montagne, une prodigieuse création divine. Il avait sur la vie de Bach les mêmes notions que Christiane Laurier. Ensemble ils faisaient jadis les mêmes lectures. Il savait que le « Cantor » enfant copiait de la musique au clair de lune et que dans sa vieillesse il devint aveugle. Toujours le balancier implacable des causes et des effets enseigné par les médecins. La maladie est une échéance, disait le Dᵉ Carton. D'autres ajoutaient : « Tout se paye. » Mais entre l'enfance aux yeux qui éclairaient la nuit et la cécité de la vieillesse, quel nom donner au message laissé par Jean-Sébastien Bach ?

... Paix sur sur la terre aux hommes de bonne volonté.

Jérôme imaginait que la nuit de Noël, à Bethleem, les chants des anges étaient tombés en neige et s'étaient accrochés aux buissons épineux de la planète. Ils avaient fleuri dans un grand secret. De siècle en siècle, un être humain découvrait une de ces couronnes, dans la joie que seul le ciel pouvait comprendre... Jean-Sébastien Bach. Mozart... Beethoven... Sans oublier les poètes...

Les pensées de Jérôme furent brusquement coupées. Quelque chose arrivait pour lui qui réclamait toute son attention. Le choral avait pris fin. Les jeunes filles chantaient un cantique choisi par Christiane. Un cantique du temps du catéchisme. Il le connaissait par cœur.

Amour, honneur, louanges
Au Dieu sauveur dans un berceau
Chantons avec les anges
Un cantique nouveau.

Le chœur se tut. Alors une voix très douce et très pure s'éleva. Jérôme pâlit. Tout son être écoutait. Il attendait le mot promis, le mot pour lui. Et Christiane pensait à lui, en cet instant, à lui seul, comme s'ils étaient seuls tous les deux dans cette église, en présence de Dieu

Elle chanta le premier couplet et pendant que

les jeunes filles reprenaient le refrain, elle se disait :

— Que faire ?

Le plus sage serait de s'arrêter au deuxième vers du second couplet : *Nous ne devons chercher qu'en Lui — Et notre force et notre appui.* Il comprendrait. Il ne compterait plus sur elle. Mais pouvait-elle lui refuser une belle nuit, une petite joie fugitive d'une aurore, d'une journée. Il aurait un lever de soleil, un lever d'étoile pour lui tout seul. Elle irait jusqu'au bout, jusqu'au vers : *Un jour si plein de charmes doit combler tous vos vœux.*

D'une voix ferme elle commença :

> *Si notre cœur est dans l'ennui*
> *Nous ne devons chercher qu'en Lui*
> *Et notre force et notre appui.*

Soudain elle faiblit et s'arrêta malgré elle. Elle voulut continuer : « *Loin de nous les alarmes.* », elle ne pouvait plus chanter : elle pleurait.

La maîtrise attendit. Christiane avait appuyé son front contre le pupitre de l'harmonium. Elle sanglotait. Les jeunes filles entonnèrent le refrain sans accompagnement, lentement, afin de donner à la soliste le temps de se ressaisir.

Mais Christiane était incapable de dominer son émotion. Dans l'église, un frisson d'inquiétude traversa l'assistance. Mme Laurier fronçait les sourcils. Mme Milan feuilletait son missel, comme si elle avait perdu la page de l'office. Le sacristain lançait des regards courroucés aux enfants de chœur qui se tournaient tous du côté de la tribune. Jérôme baissait la tête.

Le prêtre bénit les fidèles et lut le dernier évangile. Jérôme se glissa par une porte latérale et attendit, au bas de l'escalier, la sortie des jeunes filles. Dans l'ombre il aperçut les cheveux blonds de Christiane. Il s'élança vers elle et l'entraîna à l'écart :

— Dis-moi ce que tu as, voyons. Es-tu souffrante ? Oh ! moi qui attendais mon cadeau de Noël.

— Ecoute, Jérôme, je voulais continuer, je n'ai pas pu. Il m'a semblé que mon cœur se brisait. Je n'y comprends rien.

— Tu voulais continuer. Est-ce bien vrai ? Est-ce possible ?

— Mais oui, je te le promets.

Il reprit, fou de bonheur :

— Est-ce possible ? Je ne rêve pas. Mes vœux seront comblés ?

— Mais bien sûr, Jérôme. Nul autant que toi ne mérite d'être heureux.

Il la prit par la main et marcha lentement auprès d'elle, tandis que Mme Laurier et Mme Milan les devançaient dans la rue noire.

— Embrasse-moi, Christiane, et toutes les peines de ma vie seront effacées.

— Pas ici, ta mère et ma tante nous observent.

Les jeunes gens s'arrêtèrent quelques instants à la porte de Mme Laurier. Jérôme ne s'aperçut pas que sa mère s'éloignait seule. Christiane lui donna un baiser furtif qu'il lui rendit avec passion. Il ne se possédait plus de joie.

— Pour toi, chérie, je ferais l'impossible. Oui, tu entends, même mes études médicales, si tu voulais.

Elle eut un sursaut :

— Tes études médicales, Jérôme ?

(Elle pensait : Il serait sauvé).

Elle dit à voix haute :

— Quelle bonne idée, mais cela te déplaisait tant ?

Dans un éclair il crut voir les mots d'un de ses guides programmes. Travaux pratiques. Amphithéâtre. Dissection, et il répondit avec effort :

— Je le ferais uniquement pour toi.

Elle reprit d'une voix blanche :

— Cinq ans d'études. Penses-y.

— Mon père faciliterait beaucoup de choses. Je suis en retard, mais je travaillerai dur. J'ai préparé mon P.C.B. assez vite. Tu t'en souviens ?

— Oh ! oui, c'était le bon temps.

— Mais non, le bon temps est devant nous. L'avenir, ma chérie. Alors, j'ai ta promesse.

Elle dit avec effroi :

48

— Oh ! Jérôme, attends un peu. Je ne voudrais pas prendre une pareille responsabilité... Te pousser dans une carrière qui ne te conviendrait peut-être pas du tout. Et alors, ta vie serait gâchée. Il faut réfléchir. Oui, chacun de notre côté. Je te donnerai réponse dans huit jours... Le premier janvier.

Malgré le froid, Mme Laurier avait laissé la porte du vestibule grande ouverte afin d'inciter les jeunes gens à ne pas s'attarder dehors.

— Le premier janvier, docilement Jérôme. Au revoir. Bon Noël.

Il se mit à courir pour rejoindre sa mère, mais il arriva trop tard. Le docteur attendait sa femme, dehors, tête nue, les mains dans ses poches, l'air furibond. Il gronda :

— Ton fils te laisse rentrer seule, en pleine nuit.

— Me voici, père.

— Que faisais-tu donc ?

— Rien de...

Il allait dire : répréhensible. Le père coupa :

— Rien qui vaille, oui, comme toujours.

Pour interrompre une conversation qui pouvait dégénérer en discussion, Mme Milan présenta à son mari un paquet enrubanné. Il la repoussa doucement :

— Pas d'enfantillage, mon amie. Viens. J'ai à te parler.

Il la précéda dans l'escalier, laissant Jérôme

si décontenancé que la mère se pencha à la rampe et dit :

— Le thé est prêt. Sers-toi, mon enfant. Tu trouveras des gâteaux sur la desserte.

Jérôme n'avait ni faim ni soif. Il monta tout droit dans sa chambre. Il pensait aux larmes de Christiane, à son chant, à son baiser, à ses paroles. En peu de temps la réflexion changea sa joie et son espoir en mixture amère où dominaient l'inquiétude et le souci. Christiane consentirait donc à l'épouser s'il était médecin. Il lui fallait de l'argent pour être heureuse.

A présent les souvenirs se pressaient comme des papillons autour d'une lampe. Naguère Christiane Laurier avait dit :

— Je n'épouserai pas un songe-creux. Les rêves, c'est bon pour moi. Je veux un appui solide.

Il la voyait encore prononcer ces paroles. Un jour d'été. Elle portait une robe rouge, des sandales blanches. Elle tenait un roman à la main, un livre-vedette. Peu à peu ils avaient parlé de la carrière médicale avec sérieux, puis en riant. Jérôme se proposait de préparer sa thèse sans passer par l'externat. Les chiffres dans la nature, tel était le sujet qu'il choisirait. Il utiliserait ses observations récentes : la fauvette à tête noire chante sept notes. Chaque merle a son couplet bien à lui. A chaque printimps il est facile de savoir quel chanteur est

mort pendant l'hiver. En revanche le chant du
du pinson est immuable. Christiane n'appréciait
guère ce genre d'étude, incapable, à son avis de
faire l'objet d'une thèse médicale. Elle avait
ajouté naïvement : « Parles-en à ton père. »
Jérôme avait tenté de poursuivre la plaisanterie,
mais aux premiers mots, le docteur s'était ré-
crié : « Tu te moques de moi. Allons, file ! Va
conter ces balivernes à d'autres.

Résolument Jérôme éteignit ses souvenirs. Il
prit un livre de poèmes et ne sentit plus le
temps couler. Mais parfois, il sortait de sa lecture comme il eut émergé de l'eau et il éprouvait une souffrance imprécise.

Christiane... Le cantique interrompu... Cinq
ans d'études difficiles.

Une voix intérieure disait :

— Non !

V

Quand viendrez-vous à Paris ?

Un jour gris et triste pénétrait lentement dans la chambre. Jérôme avait oublié de fermer les volets. Au rez-de-chaussée, une porte s'ouvrit. Le jeune homme prêta l'oreille et entendit les bruits familiers : le moulin à café, le charbon glissant dans le fourneau, l'eau coulant sur l'évier.

Jérôme saisit le livre soigneusement plié dans un papier illustré de gui et de houx: l'*Imitation*. Il écrivit sur la page de garde : *Pour ma mère bien-aimée*. Il descendit sans bruit l'escalier, entra dans la cuisine : sur la table, son couvert était mis, près de la tasse du petit déjeuner, une enveloppe.

— Mon chéri, dit Mme Milan, j'ai rassemblé quelques petites économies. Tu achèteras ce que tu voudras. Peut-être pourras-tu faire un voyage de week-end.

Il se jeta au cou de sa mère :

— Que tu es bonne ! Comme je te remercie, maman.

A son tour, il offrit son cadeau.

— Quelle heureuse idée, mon enfant chéri, s'exclama la mère émue d'un pareil choix.

Elle ne lui avait pourtant jamais révélé sa lutte patiente contre la tyrannie du docteur. Lorsque celui-ci voyait sur la table de sa femme un livre religieux, il le saisissait avec rage et le plaçait dans le recoin le plus sombre de la bibliothèque : « Alors, disait-il, tu as besoin de consolation. Est-ce que je te rends malheureuse ? » Certes, Paul Milan ne comprenait pas plus sa femme que son fils qui comprenait tout et tout le monde.

— Assieds-toi, mon chéri, reprit la mère. Le déjeuner sera prêt dans quelques secondes. J'aurais tant voulu réveillonner avec toi cette nuit, mais ton père avait des préoccupations.

Il ne demanda pas lesquelles et comme il avait l'air soucieux, elle dit en versant le café bouillant dans la tasse :

— Mon petit enfant, dis-moi... Est-ce que tout va bien pour toi ?

Il rougit. Comme elle avait raison de désigner Christiane Laurier par ce mot : tout. Il hésita un peu avant de répondre :

— Je ne me plains pas, mère. Je ne suis pas malheureux, mais irrésolu.

— C'est pareil.

— Je pense à faire ma médecine. Mais oui, je ne plaisante pas. Je crois même...

Il s'interrompit : la figure de Mme Milan s'illuminait.

— Depuis quand as-tu cette pensée, mon chéri ?

— Depuis cette nuit.

Le visage de Mme Milan se rembrunit :

— Alors, mon fils, ce n'est pas une vocation, c'est une obligation.

— Tu devines tout, mère. Et tu ne m'approuves pas ?

— J'ai peur pour toi... Il faut aimer son métier et ne pas se détourner de sa voie, même par amour.

Il cessa de parler. Mme Milan beurrait les toasts qu'elle disposait en pyramide sur une assiette.

— Je prierai pour toi, mon petit. Quelle que soit la profession que tu choisiras, je suis sûr que tu y excelleras et que tu seras un homme utile.

Jérôme se taisait toujours.

— Tu as vingt-trois ans, poursuivit-elle. Tu as rempli tes obligations militaires. Tu es à pied d'œuvre.

— Quelle œuvre ?

— Réfléchis bien. Si tu avais la liberté d'exercer facilement deux métiers, le premier serait-il la médecine, ou le second. Par second j'entends le violon d'Ingres. L'un permet de vivre matériellement, l'autre spirituellement.

— S'il m'était permis de faire deux métiers comme on peut faire deux voyages, à mon gré, pour mon plaisir, aucun des deux ne serait celui de médecin.

— Alors, Jérôme, renonce à ton projet.

Il lui tendit la tasse qu'elle remplit de nouveau, puis elle dit :

— Qu'est-ce que tu aimerais faire ?

Ii but si vite le liquide bouillant, qu'il se brûla.

— Tu connais mon vieil amour des ascensions et des excursions. Je me calme un peu. Je vieillis. Mais j'aimerais préparer une licence de lettres, de philosophie ou d'histoire. Pendant l'été, j'emporterais une petite caméra, d'un pays à l'autre. Je ferais mes voyages à pied.

Elle hocha tristement la tête. Jérôme palpa l'enveloppe.

— Avec ce don, je puis prendre une inscription en Sorbonne, suivre quelques cours, et puis, à mon tour, je donnerais des leçons. Je saurais choisir mes professeurs et mes élèves.

Elle comprit qu'il choisirait surtout les jours où Christiane irait à Paris. Elle se contenta de répéter :

— Je prierai pour toi, mon enfant. Que Dieu te bénisse.

Après le déjeuner, Jérôme regagna sa chambre. Il était neuf heures. Assis à sa table, il compta les billets de l'enveloppe. Sa pauvre mère ! Elle avait dû se priver en secret et peut-être même d'un vêtement utile. Et lui, sans son ridicule voyage à Paris, il aurait pu lui offrir un autre cadeau. Il ressentit de l'aigreur et même de la rancune à l'égard de Christiane Laurier, et il lui écrivit :

« Alors, tu m'épouserais si j'étais médecin ?
« Tu m'accepteras tel que je suis. Oui, ou
« rien du tout. Voilà. »

Sans attendre, il sortit en courant, traversa la rue, mais à peine eut-il jeté son billet dans la boîte à lettres de la maison Laurier qu'il regretta son geste. Il frappa à la porte. Christiane lui ouvrit elle-même.

— Je t'ai écrit une lettre... par erreur... Rends-la moi.

Elle se précipita sur la boîte et saisit le papier.

— Oh ! je tiens absolument à lire cela.

Il essaya de lui arracher la lettre et comme il allait l'emporter, elle poussa un cri. Mme Laurier apparut. Il lâcha prise. Christiane se réfugia dans la chambre qu'elle verrouilla.

— Bonjour, Jérôme, dit la vieille dame. En-

trez donc ! Comment va votre chère maman ?
Je l'ai à peine entrevue cette nuit.

— Ma mère va bien. Vous la verrez sûrement
à l'arbre de Noël à l'école. Elle a habillé une
dizaine de poupées et je ne sais combien d'ours
en peluche.

— Tant mieux. Je me réjouis de causer un
peu longuement avec elle.

Mme Laurier souhaitait de voir s'accorder
sa nièce et le fils du docteur, aussi ne fit-elle
aucune objection lorsque celui-ci demanda :

— Pourriez-vous appeler Christiane, madame.
Je désire la voir un instant.

Christiane sortit vivement de sa chambre.
Jérôme l'attendait au salon tandis que Mme
Laurier s'éclipsait discrètement.

— Qu'est-ce que tu me veux ? dit la jeune
fille. Ta lettre me suffit. Tu as raison, mon
vieux. Le médecin malgré lui, c'est bon au
théâtre. Pas dans la vie.

— Oui, mais quand nous nous brouillons, il
me semble que je perds toute la joie de vivre.

— Nous ne sommes pas brouillés pour si
peu.

Le mot blessa profondément Jérôme.

— Pour toi, c'est peu, pour moi, c'est beaucoup.

Elle fit un geste d'impatience :

— Je n'ai pas le temps de discuter. Au revoir !

— Alors, dit-il d'un ton sec, il n'y aura pas de réponse le premier janvier ?

— A quoi bon attendre sept jours pour te dire ma pensée. Je n'ai pas envie de me marier. Je ne me marierai pas de sitôt. Voilà !

— Très bien. Au revoir !

Il rentra chez lui. Christiane Laurier traversa la place de la mairie pour jeter à la poste une carte à l'adresse de Francis Valleray. Elle avait écrit simplement :

« Je vais bien. Et vous ? »

Le vingt-huit décembre, elle reçut la réponse :

« Je vous attends.

« Quand viendrez-vous à Paris ? »

Elle avait accordé à ses élèves quinze jours de vacances. Le huit janvier, elle reprendrait les cours qu'elle donnait chaque semaine dans l'appartement des Meunier.

VI

Le père et le fils

Le matin du trente-et-un décembre, à son
réveil, Jérôme se mit à chanter. Fenêtre grande
ouverte, il se rasa dans sa chambre, sans feu.
Avec soin il choisit ses vêtements et se demanda
par quel miracle ceux-ci avaient toujours l'air
neufs. Pourquoi, disait-il à sa mère, pourquoi
es-tu sans cesse en train de laver et de repas-
ser ? Que de temps tu pourrais employer à des
travaux heureux. Mme Milan souriait. Pour
elle, il s'agissait réellement de travaux agréables
et heureux. Comme le vent du nord rabattait
un volet, il ferma la fenêtre en clamant le vers
de Paul Valéry :

Le vent se lève, il faut tenter de vivre.

Cette pensée d'un poète en éveilla une autre
plus ancienne. Avec un grand geste, il répéta
le cri de Chateaubriand :

Levez-vous, orages désirés.

La porte s'entr'ouvrit : un ricanement glaça l'enthousiasme du jeune homme. La tête hirsute du docteur Milan apparut :

— Est-ce que tu piques une crise d'hystérie ? Pourquoi brailles-tu ainsi ? Allons, descends, avale une tasse de café et prends ton vélo. J'ai besoin d'aide.

— ...

— Tu pourrais peut-être répondre.

Jérôme dit froidement :

— De quoi s'agit-il ?

— D'une anesthésie.

— C'est bon. Je viens.

Vingt minutes plus tard, le père et le fils se présentèrent au chevet d'un vieux laboureur qui s'était cassé la jambe. En cas d'urgence, le docteur Milan devait remplir l'office de chirurgien. Pendant la guerre de 1914, il avait tenu ce rôle avec maîtrise. Les paysans se fiaient à lui. Son assistant était très apprécié.

Après l'opération, Jérôme reçut une fois encore des compliments pour sa douceur et son habileté.

— Ah ! quand il sera docteur, celui-là, personne ne souffrira plus. Il fera encore mieux que son père.

— Rien de moins sûr, dit le vieux Milan avec amertume.

Il sortit et prit un chemin de traverse qui

menait au hameau de Perthuis. Derrière lui Jérôme pédalait sans hâte, d'un air morne. Le père grommelait :

— Avance donc. Avance donc... Tu vas voir un joli spectacle.

Ils s'arrêtèrent dans la cour d'une masure. Un rideau fané fut soulevé à l'unique fenêtre du rez-de-chaussée. On entendit un bruit de sabots dans la cour où des poules caquetaient près d'un puits. Une femme, pâle, maigre, d'une quarantaine d'années, tenait un balai et une pelle à poussière pleine de débris d'un bol en faïence.

Le docteur cria :

— Bonjour, Berthe. Comment va notre malade ?

Elle hocha la tête d'un air sombre :

— Toujours pareil. Il ne peut plus rien tenir dans ses mains.

Elle montrait le bol brisé qu'elle jeta sur un tas de détritus et de vieilles boîtes de conserves. Le docteur entra dans la salle basse où ronflait un poêle. Il s'approcha du lit, prit le poignet d'un jeune homme aux yeux clos.

— Eh bien, Henri ?

Une sorte de plainte répondit. Sur le dossier d'une chaise, près du feu, séchaient les alèzes du malheureux qui mourait de vieillesse à trente ans. Fils cadet d'une veuve, Henri s'était laissé entraîner à boire à l'auberge. A présent, il était à demi aveugle et paralysé. Le docteur prononça quelques paroles d'encouragement et laissa sur la table un petit flacon de pilules.

Dehors il fixa son fils d'un regard dur en réclamant :

— Qu'est-ce qu'il a ?

Comme un élève à son professeur, Jérôme répondit :

— Polynévrite.

-- Provoquée par quoi ?

— L'alcool.

— Prends-en pour ton grade et souviens-toi de boire de l'eau croupie si jamais tu crèves de soif plutôt que les apéritifs ou cocktails à la mode. La typhoïde, on la guérit. Le spectacle que tu viens de voir devrait être filmé et mis sous les yeux des enfants des écoles. Voilà une leçon qui porterait ses fruits.

Jérôme déclara :

— Il y a beau temps que ma mère m'a mis en garde contre ce vice.

La figure du docteur Milan s'adoucit ; il dit à mi-voix d'un ton attendri :

— Elle pense à tout.

Après un bref silence, le père annonça à son fils qu'ils s'arrêteraient ensemble rue de la Corderie, chez les époux Marcien. Jérôme grommela que sa présence n'était pas nécessaire. Il n'avait pas de temps à perdre.

— Ce n'est pas du temps perdu, mon ami. Tu t'en apercevras un jour.

Jérôme connaissait bien le logis de la Corderie. Il avait souvent monté l'escalier aux marches branlantes, mal éclairées, et recueilli les remerciements du vieux couple. Aujourd'hui il était content de lui-même. Jamais l'exercice de la médecine ne lui avait semblé aussi facile. Il savait tenir un bras ou une jambe pendant que le docteur mettait un plâtre. Il faisait un pansement avec adresse et les injections intraveineuses les plus malaisées.

— Votre petit gars vous remplacera bien. Il n'est pas brutal, répétaient les malades au docteur.

Tous les paysans l'aimaient. Allons, il était à pied d'œuvre, selon le mot de sa mère. Ayant fait ses gammes, il pourrait jouer de brillants morceaux, sans renoncer pour cela à la licence ès lettres. Tous les succès lui viendraient le même jour. Quel triomphe pour Christiane !

— Eh bien, as-tu frappé, oui ou non ? Vas-tu tomber en extase devant la porte de cette mansarde ?

A la voix sonore du docteur, une vieille femme vint ouvrir et les arrivants la suivirent dans une chambre-salle-à-manger-cuisine où se tenait le couple Marcien tout l'hiver.

L'homme assis près du poêle avait quatre-vingt-cinq ans, mais il paraissait beaucoup moins âgé. Le docteur Milan lui apportait une nouvelle spécialité contre les rhumatismes.

— Deux comprimés matin et soir. Vous ne risquez rien. C'est une bonne drogue.

— Grand merci, docteur. Je ne peux plus du tout remuer. Si vous me la donnez, c'est que cela ne me fera pas de mal.

M. Marcien posa sur une table un almanach aux pages toutes jaunies.

— Que lisez-vous donc ? Ah ! par exemple, c'est un almanach de 1913.

— Mais oui, docteur, le bon temps pour moi. Alors, j'y reviens.

Pour la centième fois le vieillard avait relu le naufrage du Titanic.

— Des gens si courageux. Des héros. Ils sont morts en chantant. Ça réconforte aujourd'hui qu'il y a tant de fripouilles.

Dans son coin, Jérôme retint un petit rire. M. Marcien reprit :

— Avez-vous beaucoup de malades en ce moment ?

Le docteur fit une réponse évasive. La grippe tardait heureusement à paraître cette année. Mme Marcien réclama :

— Vous avez sans doute vu le pauvre gars du Perthuis. Paraît qu'il n'y a plus d'espoir. La pauvre mère m'a dit qu'il n'est plus capable de manger tout seul. Et vous voyez, il n'y a pas si longtemps qu'il tenait tout son monde par la peur. Il voulait tuer sa mère et ses frères. Est-ce qu'il va traîner longtemps ?

La figure de Paul Milan se durcit, mais il ne fit aucune réponse. M. Marcien savait bien que le docteur ne tolérait pas la curiosité des gens du pays à l'égard de ses malades. Nul ne pouvait lui arracher le moindre renseignement. Pour faire oublier les questions indiscrètes de sa femme, M. Marcien reprit, en ouvrant son almanach :

— Tenez, docteur, voici le prix des vivres au bon vieux temps. Ma femme écrivait chaque jour ses dépenses.

Le docteur lut :

« Poulet, un franc cinquante. Pain, dix centimes », et il referma le livre.

Avant de partir il demanda des nouvelles de Mme Marcien. Elle se mit à geindre :

— Mes mains, toujours, docteur.

Elle montra deux petites mains ridées, crevassées, rougies, déformées, usées à faire pleurer.

— Pas d'eau en ce moment, madame Marcien. Pas de lessive, surtout. Je vais vous donner une pommade.

Il se tourna vers Jérôme :

— Ecris la formule.

Le jeune homme griffonna sans hésiter l'ordonnance que le docteur lut et signa. Emerveillée, Mme Marcien conclut :

— Il en sait autant que vous, à cette heure.

Le docteur insista :

— Souvenez-vous de ce que je vous dis. Si vous avez du linge qui trempe en ce moment, laissez-le. Quand vous aurez fait huit applications de cette pommade, c'est-à-dire, dans huit jours, vous reprendrez votre besogne.

— Hélas, si vous croyez que c'est facile. Pourtant, je vous écouterai. Ah ! j'ai bien peur que mon linge pourrisse, mais surtout, n'en dites rien à votre dame.

La figure du docteur exprima une stupeur profonde. Jérôme qui semblait perdu dans un rêve s'éveilla brusquement.

— Pourquoi ne parlerais-je pas de vous à ma femme ? bougonna le docteur. Elle me demandera sûrement de vos nouvelles.

— Je le sais bien, c'est pour cela que je vous dis : ne parlez pas de la lessive. Elle ferait comme l'année dernière quand il gelait si fort. J'avais la grippe. Je ne sais pas si vous vous en souvenez ?

Il inclina la tête.

— J'avais la fièvre, reprit-elle, et mon linge était dans mon baquet. Je ne pouvais pas même sortir de mon lit. Alors, elle est venue, la chère dame, et elle a fait mon travail, la pauvre !

Les traits du docteur Milan se durcirent davantage. Jérôme entr'ouvrit la bouche, comme pour protester, mais il ne dit rien.

Le père et le fils rentrèrent chez eux à quatorze heures. Affamés, ils mangèrent vite, silencieusement. Henriette les observait avec inquiétude. Elle se hasarda à demander, en regardant son fils :

— Tout s'est-il bien passé ?

Seul le père avait le droit de répondre. Il dit :

— Oui, assez bien.

Et il garda son air sombre.

Au dessert, Henriette Milan annonça d'un ton enjoué qu'elle avait commencé les comptes de fin d'année. Le docteur répliqua simplement :

— Tu me montreras ça.

Le ménage avait besoin d'argent, mais selon le mot de ses clients, le docteur ne savait pas faire venir l'eau au moulin. Lorsque de vieux camarades d'internat, rencontrés parfois à Paris, lui demandaient : « Quelle est ta spécialité ? » il répondait : « Les pauvres. » Henriette tenait sa comptabilité. Elle écrivait de temps à autre des chiffres dans un carnet noir. S'il y avait à faire pour la maison une dépense inévitable, le docteur disait à sa femme :

— Prépare les notes des clients.

Elle ouvrait le petit livre et annonçait :

— Mme X. Trois visites à six cents francs.

— Non. Celle-là ne peut pas payer. Elle n'a pas les assurances.

— La vieille madame Z. Douze visites à...

Il se récriait :

— Tu n'y penses pas.

Cet après-midi, Henriette Milan remplit son rôle de secrétaire avec l'attention et le soin habituels. Soudain le docteur la regarda d'un air inquiet :

Il la prit par la main et la fit asseoir sur le divan.

— Repose-toi. Il reste peu de chose à faire. Je finirai ce travail avec Jérôme. Etends-toi.

Elle obéit. Elle était extrêmement pâle. Le docteur s'assit auprès d'elle et l'observa silencieusement. Tout à coup, il dit d'une voix sourde :

— Quand je pense que tu fais la lessive des Marcien, en plein hiver. Tu n'as peut-être pas assez de besogne ici. Tu veux donc me faire mourir ?

La pâleur de Mme Milan s'accentua. Elle était épouvantée de voir son mari trembler de colère et de chagrin. Jamais il n'avait montré un tel désarroi.

— Chéri, dit-elle, la lessive était achevée. J'ai simplement rincé le linge et je l'ai mis au séchoir. Si peu de chose.

— N'essaye pas de minimiser tes efforts. Je sais à quoi m'en tenir à ce sujet. Ah ! je t'en supplie, Henriette, ménage-toi. Si tu ne veux pas te soigner pour moi, fais-le pour ton idole.

— Mon idole ! Je n'ai pas d'idole, voyons. Toi et Jérôme, je vous aime autant l'un que l'autre. Différemment, bien entendu, avec beaucoup de craintes pour notre fils. Il n'a pas encore de place dans la vie.

— Il n'en aura jamais, crois-moi. C'est un rêveur. Il aura toujours toujours besoin de toi... De moi... Soigne-toi pour lui. Ménage-toi un peu, je t'en prie.

— Ah ! mon ami, ne dirait-on pas que je veux mourir... Allons, chasse bien vite ces pensées lugubres et laisse-moi voir dans la cuisine si le feu n'est pas éteint. Je veux mettre au four une tarte aux oranges pour le dîner. Surveiller la cuisson n'a rien de fatigant, j'imagine.

— Eh bien, va, ma chérie, mais envoie-moi Jérôme au plus tôt.

— Je crois qu'il est sorti.

— Naturellement. A quoi passe-t-il ses journées, le malheureux ? Quand il rentrera n'oublie pas de lui dire que je l'attends.

Henriette Milan dut ranimer le feu à moitié éteint. Elle pela les oranges, rassembla les ingrédients nécessaires à la pâtisserie. La farine manquait. Elle s'emmitouffla de fourrures et sortit. Les boutiques avaient gardé leur décor de Noël. Quelques instants, elle contempla à la vitrine du grainetier, qui faisait à l'occasion des fêtes, le métier de fleuriste, des branches de mimosa et des anémones. Comme elle allait entrer chez le boulanger, elle aperçut Jérôme qui se dirigeait vers la pharmacie. Elle lui sourit. Il avait toujours tant de joie lorsqu'il voyait sa mère, à l'improviste, dans la rue, qu'il s'arrêta comme s'il s'agissait d'un miracle.

Elle dit :

— Il y a des anémones blanches et des mimosas chez le grainetier. En veux-tu pour demain ?

Il répondit avec empressement :

— Oh ! oui, s'il te plaît.

(Elle savait qu'il pensait à Christiane.)

— Eh bien, mon chéri, je vais en acheter. Où vas-tu ?

— A la pharmacie. Il y a un remède à porter chez les Marcien.

— Je le dirai à ton père. Je suis sûre qu'il n'y pensait déjà plus. A tout à l'heure, mon petit.

Le jeune pharmacien, André Chatelier, lut l'ordonnance du docteur Milan et il s'exclama :

— Un laboratoire qui adopterait cette pommade aurait du succès.

Jérôme haussa les épaules :

— Je suis sûr, dit-il, qu'aucune de vos mille et une spécialités ne correspond exactement à cette formule.

— Certes ! Il y en a pourtant une belle variété, mon vieux. Je ne sais plus où mettre les boîtes, les tubes, les vaccins, les sérums, les sirops, les élixirs, les antibiotiques d'hier ou de demain. J'ai des échantillons dans mon bureau, dans ma salle à manger, dans ma chambre et jusque sous mon lit... Ah ! voici Christiane...

Jérôme s'immobilisa derrière un bocal en verre bleu qui le dissimulait aux regards de l'arrivante.

— Bonjour, André, dit Christiane. Un beau froid, n'est-ce pas ?

Elle parut soudain contrariée et fronça les sourcils :

— Ah ! tu es ici, Jérôme.

— Oui, pour te servir. Que veux-tu ?

— Des révulsifs. Ma tante a la grippe. Je suis inquiète.

Le pharmacien remit un sachet à la jeune fille. Comme elle sortait, Jérôme la suivit.

— Quoi de neuf, Christiane ?

— Rien.

Elle semblait peu soucieuse de parler. Il l'accompagna jusqu'à sa porte et la vit prendre dans la boîte aux lettres une enveloppe bleue.

— Je parierais que tu es en correspondance avec l'âne de Paris.

— Que tu es soupçonneux, mon pauvre Jérôme. Je plains celle que tu épouseras.

— Garde ta pitié pour ton futur mari. Les femmes me font horreur, toutes autant qu'elles sont.

— Tant mieux. Allons, décide-toi. Entre ou sors. Il fait trop froid pour bavarder dans la rue.

Déjà, elle avait mis la main sur la poignée de la porte. Il comprit son impatience et qu'il lui tardait de lire la lettre bleue. Il dit du même ton rageur :

— Est-ce qu'il y aura une réponse, demain ?

— Ni réponse, ni question, Jérôme. Restons ce que nous sommes : de bons amis.

Jérôme devint très pâle.

— Je te porterai tout de même mes compliments... Mes vœux de bonheur avec l'âne.

— Oh ! ne te dérange pas. Nous serons absentes, ma tante et moi, demain toute la journée. En visite à Orléans.

— Alors, Mme Laurier n'est pas malade ?

— Elle ira mieux.

— Eh bien, bonne chance, bonne journée.

Il rentra chez lui, monta l'escalier sans bruit. Dans l'embrasure de la fenêtre du palier, derrière un rideau de satin rouge, un parfum révélait la merveilleuse petite présence des fleurs achetées pour lui par Mme Milan. Pendant le dîner le jeune homme répondit par monosyllabes : Oui, père, non, mère. Et puis simplement : bonsoir, bonne nuit.

Elle devina ce qui s'était passé.

VII

Propriété exclusive

Jérôme s'endormit très tard, cette nuit du 31 décembre et lorsqu'il s'éveilla, il aperçut le plateau du déjeuner sur sa table. Il n'acceptait pas que sa mère vînt le servir dans sa chambre, mais cette fois, elle avait pressenti qu'il était exceptionnellement malheureux. On eût dit qu'elle voulait par toutes sortes de douceurs lui faire oublier la dureté d'autrui. Sur une assiette elle avait placé avec amour ses gâteaux préférés, un morceau de tarte aux oranges, des pâtes de fruits, des bonbons de chocolat, des pommes. Il eut un instant d'espoir lorsqu'il aperçut, entre la théière et la tasse, une lettre, mais tout de suite il reconnut l'écriture de sa mère.

— Pauvre femme ! Elle m'a écrit !

L'enveloppe était fixée à un petit paquet fermé par une ficelle dorée qu'il dénoua d'une main fiévreuse. Il rougit d'émotion à la vue d'une clef.

La lettre était brève.

« Mon enfant chéri,

« Voici mon cadeau de nouvel an : une clef.
« Je veux t'offrir un petit chez toi. Ce jardin
« des bords de la Loire qui m'appartient, je
« te le donne. Tu pourras t'y réfugier, lire et
« méditer à ton aise, l'été sous les arbres, l'hi-
« ver dans le kiosque où les rayonnages rece-
« vront tes livres. Je n'ai pas eu le temps de
« le meubler. Cette idée m'est venue seulement
« pendant la nuit.

« Je suis sûre que le Ciel écoute les vœux
« d'une mère pour son enfant et je lui demande
« ton bonheur.

« Je t'embrasse.

« H.M. »

Jérôme endossa sa robe de chambre, ouvrit sa porte, s'avança sur le palier et appela d'une voix émue :

— Maman, es-tu ici ?
— Oui.
— Seule ?
— Oui.

Il descendit l'escalier en deux bonds, embrassa sa mère avec des tranports de joie.

— Bonne année, bonne santé, mère chérie.

Henriette recueillait avec un sourire les souhaits de son fils ; elle écoutait ses exclamations enthousiastes. Alors, ce jardin qu'il aimait tant serait à lui seul ? Il pourrait faire de ce kiosque un refuge, une bibliothèque, y cacher ses secrets sans craindre les inspections paternelles ?

— Mon chéri, tu ouvriras la porte à qui tu voudras et tu la fermeras quand bon te semblera. Je te l'ai dit : c'est ta propriété exclusive.

Mais comment le docteur avait-il approuvé cette décision ?

— As-tu déjeuné, au moins. Quand tu auras pris ton déjeuner, mon enfant, je parlerai.

Jérôme renouvela la première question. Mme Milan était-elle seule à la maison, ce qui signifiait : le docteur avait-il déjà été appelé près d'un malade ?

— On est venu le chercher pour une congestion pulmonaire aux Rieux.

— Nous avons le temps de causer.

Il grimpa dans sa chambre, rapporta le plateau et mangea avec un vif appétit pendant que sa mère s'expliquait.

— Cette nuit-là, je ne dormais pas, ton père non plus, j'échafaudais toutes sortes de projets et de rêves. C'est alors que l'idée m'est venue. J'ai dit à voix haute : « Je ne sais trop quel cadeau faire à Jérôme pour ses étrennes. J'ai envie de lui donner le jardin de la Loire. Il

ornerait le kiosque selon ses goûts. » Ton père
a d'abord protesté...

— Naturellement...

— Il prétendait que tu recevrais dans ce coin
désert toutes les filles du pays.

Jérôme fut pris d'un fou rire.

— Le pauvre homme ! Comme il me connaît
mal. Tu as dû plaider pendant des heures pour
vaincre sa résistance.

— Non. Pas tant que tu crois.

— Mère, chérie, ne proteste pas. Je n'ai aucune illusion. Mon père montre si peu d'indulgence à mon égard. Pas même de la bien-
veillance. Il n'a jamais fait que me rabrouer,
m'humilier. J'ai fini par comprendre combien je
comptais peu pour lui.

— Ne parle pas ainsi, Jérôme. Ton père n'est
pas démonstratif, tu le sais bien. Dur en appa-
rence, tendre au fond du cœur.

— Tendre !

— Mais oui, mon petit. Tu ne peux pas savoir
encore ce qu'est l'amour paternel. Lis donc
la Bible. Les gens de ce temps-là étaient de
vraies brutes. Ils s'entretuaient si volontiers...

— Comme ceux d'aujourd'hui.

— Plus sauvages encore, mon enfant. Eh bien,
relis le Livre de Samuel, la mort d'Absalom
révolté contre son père, le roi David. La guerre
avec ses horreurs... « Tout va-t-il bien pour le
jeune homme, pour Absalom ? » Telle est la

première question du roi après la bataille. Et lorsqu'il apprend qu'il a été tué, celui qui voulait le faire périr, il ne se console pas, il ne cesse de crier : « Mon fils, mon fils Absalom. Que ne suis-je mort à ta place. »

— Je ne vois pas mon père dans ce rôle, si j'étais mort révolté contre lui.

— Moi, je le vois très bien... Mange cette pomme. Tu as dîné à peine hier soir.

L'allusion à la déception de la veille n'éteignit pas la joie de Jérôme. A son avis, rien de plus sot que d'aimer les personnes qui ne vous aimaient pas. Il raconta à sa mère l'accueil de Christiane Laurier. Elle dit que tout espoir n'était pas perdu.

Jérôme commença de remplir des valises de livres et de cahiers qu'il transporterait dans son nouveau domaine. Mme Milan ourla des petits rideaux pour la fenêtre du kiosque où tremblaient des feuillages une partie de l'année.

— Ils sont encore invisibles, mais bientôt, mon fils, tu verras la métamorphose du printemps. Il en est ainsi dans la vie.

Pendant qu'il s'affairait joyeusement et s'efforçait de rafistoler, au moyen d'une corde, une des valises dépourvue de fermoir, Christiane Laurier se morfondait au chevet de sa tante. Elle ne reçut pas d'autre visite dans la journée que celle de la mère Millet, surnommée la sorcière parce qu'elle se vantait de connaître la vertu des plantes.

La bonne femme apporta du sirop de mûres à la malade et elle dit :

— Le fils du médecin fait des allées et venues sur le chemin de la Loire avec des valises. Il paraît piqué, le pauvre gars.

— Il ne faut pas chercher à comprendre la jeunesse d'aujourd'hui, répliqua Mme Laurier d'une voix enrouée. Elle est capable de toutes les extravagances.

Elle lança à sa nièce un regard de reproche. Christiane s'éloigna et se mit à jouer du piano. De temps à autre, elle s'interrompait, écoutant la voix criarde de la mère Millet.

— Cette vieille est folle, elle croit tout savoir, le passé, le présent et l'avenir. J'ai envie de lui demander si je me marierai cette année.

Mais lorsqu'elle entendit le portail se refermer et la femme crier : « Au revoir, madame, meilleure santé », elle se tint coite, les mains sur le clavier, l'oreille au guet. Dehors tout était silencieux, le bruit des sabots de la mère Millet s'éteignit bientôt sur le chemin glacé.

Le crépuscule tombait. Christiane regarda une fois de plus la magnifique robe du soir en taffetas jaune, crissant, à reflet d'or, qu'elle avait reçue pour ses étrennes. Le désir lui vint de l'essayer. Devant la glace, elle la revêtit et fit la roue. Elle mit à son poignet un bracelet à triple rang de verroterie. Elle se réjouissait d'être si belle. Mais il lui manquait le plus important : être admirée.

Elle s'approcha de la fenêtre, souleva le rideau et Jérôme qui passait avec ses deux valises bourrées de livres, vit comme du soleil dans le soir gris. La valise sans fermoir lui échappa des mains, la ficelle se dénoua et les livres se répandirent sur le sol.

Christiane jeta une cape sur ses épaules et vint l'aider à ramasser les brochures éparses.

Il regardait avec ahurissement la main à demi recouverte de grosses perles et les petits éclats de soleil entre les plis de la mante brune.

La jeune fille ramassait les fameux guides carrières. *Ecole Libre des Sciences Politiques* ; *Guide pratique et programme des certificats d'études supérieures*; *Programme de l'Ecole Nationale des Chartes* ; *Programme de la Faculté de Droit* ; *Ecole de Notariat* ; *Carrière des Assurances* ; *Hautes Etudes Sociales*.

A la révélation d'une quête si ardue, Christiane éprouva soudain tant de compassion pour son ami d'enfance qu'elle dit d'un ton suppliant:

— Jérôme, viens te chauffer. Nous prendrons le thé. Je suis seule. Ma tante est malade. Oh ! Je t'en prie. Cela me ferait un tel plaisir.

Il répondit :

— Entendu. Je porte mon chargement et j'arrive.

Il rentra chez lui, tout courbé sous son fardeau, et réclama :

— Maman, les fleurs !

Mme Milan se précipita vers le recoin dissimulé par le rideau de satin rouge ; elle remit le bouquet à son fils ; il le cacha dans son manteau et partit à toute allure.

— Alors, s'écria joyeusement Christiane, tu vas me dire ce que tu penses de cette robe.

— Une merveille ! Tu ressembles à un paon jaune.

Elle tournait, en effet, devant lui comme un paon, sa toison bouclée, évoquant un plumage. Plus séduisante que jamais, elle annonça :

— Mon petit vieux, nous allons passer une bonne soirée. A une condition.

— Oui ?

— Nous ne parlerons pas d'amour ni d'avenir.

— Comme tu voudras. Je me moque de l'un comme de l'autre.

— Alors, tout va bien.

Elle présidait au goûter dans sa robe somptueuse et il la regardait avec un bonheur sans bornes, retrouvant les gestes si gracieux d'autrefois lorsqu'elle versait le thé dans une tasse, ou simplement beurrait un toast.

— Ta robe est très belle, ma chère. Tu as été vraiment gâtée.

— Oui. Et toi ?

— Oh ! moi, j'ai eu un fameux cadeau.

Elle le regarda avec surprise.

— Qu'est-ce que c'est ?

— Devine !

— Comment devinerais-je ? reprit-elle avec impatience.

— Ma mère m'a donné le jardin de la Loire.

— Pas possible !

Christiane but une gorgée de thé et faillit s'étrangler ; elle posa la tasse sur la table :

— Qu'est-ce que tu vas en faire, Jérôme ? Tu comptes bâtir ?

— Le kiosque me suffit largement, ma bonne. Je peux même y placer un divan et y coucher, si cela me chante.

— Pour un cadeau, c'est un cadeau, reprit Christiane. J'espère que tu as fini de broyer du noir.

— Certes. Je broie du rose et du bleu depuis ce matin, en attendant d'enrouler l'arc-en-ciel à mes talons. Je fabriquerai de l'or avec des feuilles mortes et du cristal avec des fleurs de houx... Mon kiosque verra des choses formidables et personne n'entrera jamais dans ce repaire. Non, ma vieille, pas même toi.

— Comme tu voudras, mon garçon. Je ne te demande pas l'hospitalité.

Il regarda sa montre et partit d'un pas décidé. Il ne voulait pas laisser seule un soir pareil, sa mère.

— Elle est ma meilleure, ma très chère amie,

dit-il en saluant Christiane d'un geste désin-
volte.

La jeune fille monta auprès de sa tante et
lui dit :

— Jérôme est en train de retourner sa veste.

— Quelle veste, mon enfant ?

— Sa veste d'amoureux transi.

Mme Laurier garda un long silence, puis elle
observa :

— J'en suis bien contente pour lui. Oui, bien
contente.

VIII

Saint-Louis-en-l'Isle

Christiane s'attendait à voir Francis Valleray sur le quai de la gare de Lyon, le huit janvier. Il l'avait invitée à prendre le thé dans une pâtisserie du Quartier Latin et à partager avec lui la galette des rois. Dans le train, elle s'impatientait. Il lui tardait d'en finir avec ces prairies, ces arbres, ces petits ponts, ces rivières, le beau fleuve dont son regard, d'habitude, ne se lassait pas.

Elle se mit à aimer tout à coup ce qui lui faisait naguère horreur : les bâtiments modernes, les stations neuves, les poteaux métalliques, ces cheminées sans fumée qui sautaient dans la vitesse, et le tournant d'une rue sordide avec les torchons aux fenêtres, le grouillement des piétons, des voitures.

Enfin Paris, avec ses laideurs et ses merveilles lui semblait vraiment ce que l'Ecriture appelle : la Cité bien-aimée. Notre-Dame, la Seine, les Ecoles. Et mieux encore que les arbres et les quais, les foules, les âmes. La ville de la jeunesse...

Francis Valleray n'était pas au milieu des groupes qui attendaient les voyageurs. Christiane gagna le hall, tournant la tête à droite et à gauche. Personne. Elle pensa soudain à Jérôme. Il ne lui avait jamais fait faux bond, lui. Il arrivait toujours avant l'heure fixée par elle. Sans cesse une voix intérieure faisait entre les deux jeunes gens une comparaison à l'avantage du premier, reprochant à Christiane d'abandonner l'ami d'enfance pour un inconnu.

Elle sauta dans un autobus et se mit à chercher des yeux, parmi les piétons, la figure de Francis. Une petite fille à bicyclette qui portait un énorme sac sur les épaules, retint son attention. Lydie Meunier pédalait de toutes ses forces dans l'enchevêtrement des voitures.

— Elle se croit en retard. Je me croyais en retard. Nous sommes en retard toutes les deux, conjugua tristement Christiane.

Elle arriva chez les Meunier quelques instants après son élève. Le sac de Lydie ouvert sur la table laissait voir six têtes de poupées.

— Je vous présente les six filles de l'ogre, mademoiselle, et les cinq frères du petit Poucet.

Je monte un théâtre pour les enfants assez abandonnés. Ils s'amusent follement.

— Au moins, j'espère que vous ne leur apprenez pas à tuer.

— Oh, non, mademoiselle. Les filles de l'ogre fichent le camp avec les six petits Poucet et ils se marient. Et l'ogre pilote un avion supersonique. Et sa femme a une usine qui sort cinquante voitures à la minute. Les petits cailloux dans la forêt sont des diamants synthétiques. Vous savez, cette nouvelle découverte...

Christiane l'interrompit :

— Je crains bien qu'il n'y ait pas de cailloux ni de diamants, mais des miettes de pain, sur le chemin que vous suivez, Lydie. Et quand vous passerez votre examen, vous vous apercevrez que les oiseaux ont emporté votre bagage.

— J'en ai bien peur, moi aussi, mademoiselle. Je ne m'en tire plus du tout pour les maths. Il me faudrait un répétiteur. Pourriez-vous me recommander quelqu'un ?

Christiane se souvint des paroles de Jérôme ; elle dit :

— Oui. Un jeune homme de Mai-sur-Loire. Vous le connaissez. Il s'agit de Jérôme. Le fils du docteur Milan.

— Il me plaît beaucoup. J'aimerais bien travailler avec lui. Comment devrais-je l'appeler ?

— Comme d'habitude.

— Je l'appelle toujours Sire.

— Et pourquoi donc ?

— Parce qu'il est si sérieux, si grave.

— Il faudra changer de nom. Il n'aimerait pas cela.

— Je l'appellerai professeur. C'est plus simple.

La sonnerie retentit : Lydie se précipita pour ouvrir la porte et les élèves de Christiane se rassemblèrent autour du piano. Après le cours, Lydie servit un goûter copieux préparé par sa mère. A six heures, Christiane sortit de l'appartement, elle descendit rapidement l'escalier, la main sur la rampe. Comme elle atteignait le palier du deuxième étage, une voix l'appela :

— Christiane ! Est-ce vous ?

Elle sursauta :

— Francis ! Je ne comptais plus sur vous ce soir.

— C'était mon jour de garde à l'hôpital. Je viens seulement de m'échapper.

Dehors, il l'attira près d'un magasin illuminé pour mieux la voir.

— Oui, c'est bien vous, c'est bien mon dahlia d'or. On ne vous a pas changé en route. Combien de temps pouvez-vous me donner ?

— Je prends le train de huit heures.

— Bigre ! Nous allons dîner au snack-bar, à côté de Saint-Germain-des-Prés.

Elle refusa de s'attarder dans un quartier trop éloigné de la gare.

— Nous dînerons au buffet, dit-il.

A pied, ils se dirigèrent vers les quais et, tout à coup, il sembla à Christiane que les murs, les maisons, les magasins s'effaçaient et que Paris devenait désert. Les passants n'étaient plus que des ombres, les voitures paraissaient lancées par un tir fabuleux. Rien n'existait plus, hormis le jeune homme rieur qui la tenait par la main. Il faisait des projets fous :

— Je passerai les vacances de Pâques à Mai-sur-Loire. Y a-t-il un petit hôtel, une auberge ? Je viendrai incognito. Nous aurons l'air de nous rencontrer. Mais oui... Nous nous verrons pour la première fois au bord de la Loire. Vous ferez semblant de tomber à l'eau et moi de vous repêcher... Ah ! pourvu qu'il y ait des galettes au buffet de la gare.

— Des galettes ?

— Nous tirerons les rois tous les deux. Nous sommes seuls. Pas d'empêcheur de danser en rond. De témoin jaloux.

Elle comprit l'allusion et dit :

— Au buffet, nous trouverons des sandwiches, des oranges, du chocolat, de la limonade et des canettes de bière.

Il jugea prudent d'acheter la galette dans le quartier, mais ils marchèrent longtemps sans apercevoir une seule pâtisserie. A mi-voix, Francis déchiffrait pour Christiane le Paris nocturne.

— Halle au Vins... Jardin des Plantes... Ah !
je voudrais bien entendre le cri d'un tigre la
nuit, plutôt que la radio de mes voisins. Enfin,
une boulangerie.

A son comptoir, la marchande tricotait un lainage blanc.

— Que désirez-vous, monsieur ?

— Une galette des rois.

— Nous n'avons plus que des gâteaux à la
pièce.

Ils entrèrent successivement dans trois boutiques et Christiane ne pouvait s'empêcher de
sourire chaque fois que Francis Valeray réclamait d'un ton solonnel :

— Une galette des rois.

Lorsqu'il tint enfin dans sa main le léger carton de pâtisserie, il annonça :

— Il nous reste près d'une heure avant le
train. Revenons sur nos pas.

Il l'entraînait vivement ; elle demanda :

— Où me conduisez-vous, Francis ?

— Je vous prépare une surprise que vous
n'oublierez jamais, dussiez-vous vivre cent ans.

Un peu émue, Christiane répéta :

— Où me conduisez-vous ? Parlez ! Vous me
faites peur.

— Voici le pont Sully. Regardez bien, Christiane. Cette grande ombre...

Elle étouffa un cri :

— Allez-vous me jeter dans la Seine ?

Il rit

— Venez, poltronne.

Mais elle s'arrêta.

— Cessez votre plaisanterie, Francis.

— Ce n'est pas une plaisanterie, Christiane. C'est très sérieux. Je veux vous montrer l'île Saint-Louis.

— Pourquoi ?

— Pour tirer les rois dans cette île toute rose, entre les quatre quais dénommés Bourbon, Anjou, Orléans, Béthune.

— Idée singulière. Vous me ferez manquer le train.

— Nous prendrons un taxi jusqu'à la gare. Vingt minutes en tout et pour tout.

Dans une rue sombre, il avisa un restaurant d'aspect très modeste où il entra comme chez lui, suivi de Christiane. Il commanda deux grogs, tira de sa poche un canif et coupa la galette en deux.

— Choisissez, dit-il à la jeune fille.

Elle saisit l'une des parts et tout de suite annonça :

— J'ai la fève.

Avec triomphe elle montrait un petit fétiche en porcelaine encapuchonné de pâte.

— Bravo ! Christiane. Choisissez votre roi, répliqua Francis en se redressant avec une assurance joyeuse.

Elle murmura malicieusement :

— Orléans ? Bourbon ? Anjou ? Je prends Béthune

Un instant le jeune homme resta interdit, puis il se mit à rire et déclara que pour un soir il serait duc ou prince.

Ils eurent vite mangé l'énorme galette. Christiàne regardait sans cesse le cadran qui surmontait le comptoir. Francis but son grog puis il appela un taxi. Avant de monter dans la voiture, ils se détournèrent ensemble et regardèrent du côté de Notre-Dame, le ciel d'un rose éteint, mystérieux comme si un rayon de soleil avait été retenu par miracle au-dessus de leurs têtes.

Ils arrivèrent à la gare à huit heures moins deux. Francis avait obtenu ce qu'il voulait : il verrait Christiane à Paris une fois par semaine.

IX

J'irai à Corfou

Au kiosque, Jérôme avait fini de clouer des rayonnages et de placer les livres inscrits dans son fichier. Il faisait du feu dans un petit poêle appelé diable et vivait des heures solitaires. Mme Milan était autorisée à lui rendre visite. Elle venait voir ce qui manquait au petit logis, apportait un tapis, un rideau, du café dans un thermos, et se retirait vite en dépit de l'invitation du jeune homme.

— Tu peux rester, mère, tu ne m'empêches pas de penser.

Il gardait seulement deux programmes à l'étude : celui de l'Ecole de Médecine et celui de de la Faculté des Lettres. Mais tandis que ces mots : dissection, maladies contagieuses, obstétrique lui faisaient horreur, son cœur bondissait devant ceux-ci : le rythme ; le sentiment et l'émotion, la notion du temps ; la notion d'espace. Il aurait pu écrire sur ces sujets des pages et des pages.

— Je voudrais voir le printemps arriver dans mon kiosque, disait-il à sa mère.

Elle répondait :

— Il est là... Il se prépare... Il est prêt.

— Oui, et père dirait : Il est déjà passé.

Dans sa retraite, Jérôme évitait les corvées imposées par le docteur. Celui-ci réclamait parfois :

— Où est notre brillant sujet ? Que fait-il ?

— Patience, mon ami, répondait sa femme. Il s'installe. Il lui faut de la tranquillité. Il travaille. Bientôt il sera à pied d'œuvre.

Jérôme avait donné ses premières leçons de mathématiques à Lydie Meunier. Chaque semaine il se rendait à Paris. Mais Christiane avait fixé un autre jour que le sien, sous prétexte que son élève était trop débile pour suivre plusieurs cours dans le même après-midi.

— Voyage de lune et de soleil, disait Jérôme, puisqu'il partait de Mai-sur-Loire lorsque Christiane y revenait.

Il avait consulté secrètement le professeur Martin, vieil ami de son père, et fait part de son projet d'inscription à l'Ecole de médecine, en dépit de ses répugnances. Après l'avoir interrogé longuement, le professeur conclut :

— Vous ne manquez pas d'acquit. Vous faites

des diagnostics depuis l'âge de quatorze ans et maintenant vous avez autant d'expérience qu'un vieux loup de terre qui a couru les campagnes tout au long d'un demi-siècle. Revenez me voir quand vous aurez pris une décision. Peut-être pourriez-vous faire vos études de médecine coloniale qui vous prendraient moins de temps.

Jérôme avait encore près de dix mois de loisirs. Il était bien capable de naviguer au propre et au figuré, et de faire une croisière en Méditerrannée.

— J'irai à Corfou, disait-il à Christiane de plus en plus indifférente aux projets qu'il élaborait. Une des îles Ionniennes, autrefois appelée Drepane qui veut dire croissant. Corfou a la forme d'un croissant. Je t'enverrai des oranges, des citrons et des figues.

Au mois de mars, Mme Milan posa sur la table de Jérôme, dans le Kiosque, ces petits sacs en papier où l'on voyait l'éblouissante figure que prendraient de minuscules grains noirs ou gris, après un séjour dans la terre sablonneuse.

Les noms de fleurs rappelaient à Jérôme des souvenirs d'enfance : volubilis, balsamines, résédas, clématites. Mme Milan savait tailler les rosiers et soigner le pied de vigne qui tendait ses bras le long du mur où glissaient des lézards. Elle n'osait pas demander à son fils si Christiane avait visité le domaine de la Loire. Il devina sa pensée et lui dit :

— Je suis obligé de tenir Christiane à l'écart : je n'ai plus confiance en elle. Je sais très bien qu'elle rencontre à Paris un type qui a pris sur elle un ascendant fou.

— En es-tu sûr ? Méfie-toi des bavardages.

— Je ne vois personne, ma chère mère, sauf la gamine à qui je donne des leçons. Cela ne compte pas.

Il se gardait bien d'interroger Lydie, trop fine et malicieuse. Il n'était pas aussi aisé d'éviter les questions souvent peu discrètes de son élève.

Celle-ci osait remarquer :

— Il paraît que votre père soigne gratuitement la plupart des malades de votre région.

— Qui vous a dit cela ?

— Christiane.

— Christiane n'a pas examiné notre comptabilité.

Elle ne se tenait pas pour battue.

— Et vous, professeur, ferez-vous comme votre père lorsque vous serez médecin à votre tour ?

— Où avez-vous pris que je serai médecin ? Laissez donc ces racontars. Pensez plutôt à votre bac.

Lydie répondait :

— Soyez tranquille, j'y pense jour et nuit.

La collégienne grandissait à vue d'œil ; elle se vantait de rattraper le temps perdu et de bien porter ses seize ans et quatre mois. Mais en dépit de ses efforts pour plaire à Jérôme Milan, celui-ci ne faisait pas plus attention à elle qu'à la pendule du salon, comme elle le disait avec regret à Christiane.

Un jour, Lydie demanda à brûle-pourpoint au jeune homme :

— Parlez-moi d'amour, professeur.

Elle pensait bien l'embarrasser. Il répondit simplement :

— Tout amour vient du paradis et y retourne. Je parle de l'amour vrai : filial, paternel, fraternel ou conjugal. La mort n'y met pas fin. Mais il y a des semblants d'amour comme il y a des perles fausses et de l'or faux.

— A quoi reconnaît-on les semblants, les perles fausses, les métaux précieux ?

— On éprouve l'or dans la fournaise.

— Eh bien, merci.

Peu à peu il n'entendit plus parler de Christiane que par son élève.

— Christiane m'a dit que vous aviez un jardin magnifique où personne ne peut entrer, et dans ce jardin une toute petite maison, et dans cette maison un gros livre où vous écrivez vos découvertes.

— Taisez-vous, Lydie. Tout cela ne vous regarde pas.

Tandis qu'il s'efforçait de préparer son élève aux examens, le vieux docteur demandait à Henriette Milan :

— Que fait donc à Paris notre brillant sujet ?

— Il donne des leçons de mathématiques.

— A qui ?

— A une petite fille.

— Une petite fille ? Quel âge a-t-elle ?

— Elle prépare son bachot.

— Mais elle peut avoir dix-huit ans, pour peu qu'elle soit aussi précoce que son professeur.

Mme Milan ne put réprimer un soupir qui exaspéra son mari. Il la regardait avec une colère mêlée de rancune. Pourquoi approuvait-elle toujours Jérôme ? Brusquement, il s'apaisa et dit d'une voix inquiète :

— Qu'as-tu donc, mon amie ? Souffres-tu ?

— Non. Pas du tout, ne te tracasse pas, je t'en prie.

Il la considérait toujours de son regard aigu :

— Henriette, c'est très sérieux. Il faut que je t'ausculte.

Il prit sa tension et ne fit aucune remarque. A présent elle souriait avec indulgence de voir près de son épaule cette tête à cheveux blancs qui restait pour elle si juvénile, enfantine même. Oui, toujours un enfant, et désarmé devant la douleur.

Il se redressa tout à coup, l'air bouleversé :

— Nous irons à Paris ensemble, dès demain, Henriette, annonça-t-il.

— Et pourquoi donc, Paul ?

— Pour faire un électro-cardiogramme. Tu as le cœur extrêmement fatigué.

— Un électro-cardiogramme ne me guérirait pas si j'étais malade. Et je ne suis pas malade, mon chéri.

— Henriette, dit-il avec reproche, il est encore temps... (Sa voix tremblait.) Oui, j'espère qu'il est encore temps. Mais il faudra te ménager désormais... Plus d'efforts... Aucune fatigue... Te mener à feu doux, comme disait le docteur Carton. Le feu doux, sais-tu ce que c'est, toi qui flambes ?

— Mon chéri, ne prends pas mon cas au tragique. Pour te rassurer je veux bien faire cette radio, mais rien ne presse. Et demain, je ne suis pas libre.

Il cherchait dans l'armoire de pharmacie avec tant de trouble qu'il fit tomber un flacon.

— Cinq gouttes de digitaline chaque matin pendant cinq jours, prescrivit-il. Mais c'est surtout une question de régime et de repos. Tu ne te lèveras pas avant dix heures, le matin.

Elle joignit les mains :

— C'est impossible.

— Tu prendras une femme de ménage.

— Toutes les femmes du pays sont occupées à la campagne en cette saison. Ah ! je t'adjure de ne rien dire à Jérôme.

— Si. Je le préviendrai. Il doit t'aider de toutes ses forces. Il tient à ta santé, lui aussi.

Il n'aime que toi... Lui et moi, nous n'avons que toi, mon amie. Pour l'amour du ciel, fais ce que je te demande.

Henriette Milan accepta de se lever à huit heures et demie. Dès lors, chaque matin, le docteur lui portait son petit déjeuner au lit. Jérôme, alarmé, ne voulait plus quitter sa mère. Sans cesse aux aguets, il lui prenait des mains tout objet, qu'il fût léger ou lourd. Lorsqu'elle faisait son marché, il surgissait à l'improviste, au détour d'une rue et saisissait le panier de provisions.

Les fermières qui venaient du fond des terres observaient :

— Le fils du docteur est un original. On raconte beaucoup de choses à son sujet. Mais on ne peut toujours pas dire qu'il manque de cœur.

X

Il y a amour et amour

Christiane apprit les inquiétudes du docteur
Milan : elle courut au jardin de la Loire et
heurta à la porte sans recevoir aucune réponse.
Elle eut beau crier :

— Jérôme, ouvre donc. C'est moi, Christiane !

Elle n'entendit que les sept notes de la fauvette à tête noire. Ayant mis l'œil à la serrure
elle crut voir une image du paradis. Des grap-
pes de lilas se mêlaient aux feuillages neufs,
des vols d'oiseaux traversaient l'air embaumé ;
même le puits à toit de chaume fleurissait, car
sa margelle moussue s'éclairait de minuscules
étoiles blanches. Le vent porta à la jeune fille
une bouffée de parfum avec le souvenir de
Jérôme :

— Je ne recevrai personne au kiosque, pas
même toi, ma vieille.

Elle regagna le village et sonna chez le docteur. Mme Milan vint elle-même ouvrir la porte.

— Bonjour, Christiane. Comment allez-vous, mon enfant ?

— Nous venons d'apprendre que vous aviez été fatiguée, madame. Ma tante réclame de vos nouvelles.

— Je vais mieux, ma chère petite. Je me repose uniquement pour faire plaisir à mon mari et à mon fils.

Mme Milan fit entrer la jeune fille dans le salon aux meubles anciens recouverts de soie fanée.

— On ne vous voit plus, dit-elle, avec un pâle sourire.

Christiane répliqua vivement :

— J'ai deux nouveaux élèves de piano, à Paris, et ici, la fille du laitier, la petite Marise, m'a priée de lui apprendre le solfège. Savez-vous d'où je viens, madame ?

— Assurément non.

— Du jardin de la Loire. Je croyais voir Jérôme au kiosque.

Mme Milan baissa la voix pour dire :

— Il est au bureau de mon mari, en ce moment, Christiane. Comme son père, il prend au tragique l'état de ma santé et ne quitte plus beaucoup la maison. Je le regrette. J'aurais tant voulu le voir faire un voyage en Grèce pour Pâques.

— Ah ! oui, Corfou, l'île en forme de croissant... Un beau voyage, évidemment... Pourquoi ne l'entreprendrait-il pas ? Nous ne sommes pas encore à Pâques. Il a le temps d'y penser.

— Il est obstiné, vous savez. Quand il a dit non, c'est non.

Christiane resta un instant silencieuse. Mme Milan demanda :

— Comment va votre chère tante ?

— Bien, je vous remercie, madame. Elle est comme vous, elle se surmène. En ce moment elle entreprend de grands travaux de couture. Elle a choisi des patrons et veut absolument faire elle-même mes robes d'été.

— Elle a bien raison. Tout est si cher.

Christiane protesta :

— Oh ! madame, il y a de très jolies petites robes en coton pour presque rien.

— Vraiment ? Je ne suis pas à la page, ma chère Christiane. Vous partez déjà ? Désirez-vous voir mon fils ?

— Euh... je... je veux bien... Mais ne le dérangez pas s'il travaille, je vous en prie.

— Je vais l'appeler.

Mme Milan ouvrit la porte du bureau du docteur : Jérôme vint tout de suite ; il dit :

— Bonjour ! Il me semblait bien reconnaître ta voix. Qu'est-ce qui t'amène ?

Mme Milan s'esquiva ; Christiane répondit avec assurance :

— Je venais prendre des nouvelles de ta mère et savoir en même temps si tu vivais toujours sur la planète.

— Le moins possible. J'ai acquis l'indépendance sentimentale. Je t'en souhaite autant.

Christiane rit d'un air gêné. Elle ne souhaitait que d'être enchaînée par Francis Valleray et pour ne pas donner de vains espoirs à Jérôme, elle parla tout de suite de Mme Milan. La figure du jeune homme changea d'expression.

— Justement, Christiane, je voulais te voir à son sujet. Prête-moi quelques journaux de modes. Figure-toi que j'ai l'intention d'acheter à ma mère un vêtement... Je ne sais trop quel vêtement... Quelque chose de très joli... Très chic... Lydie ne parle que de cardigan. Qu'est-ce que c'est ?

— Une espèce de sweater avec des boutons tout du long.

— Je suppose que j'en trouverai à Orléans ?

— Sans aucun doute. Rien ne presse, n'est-ce pas ?

Il parut soudain bouleversé.

— Mais si ! Pense donc, Christiane, si je

venais à la perdre. Serait-il dit que je n'aurais
eu pour elle la moindre attention.

— Ah ! Jérôme, tu vois bien qu'on n'acquiert
jamais l'indépendance du cœur, tant qu'on aime quelqu'un en ce monde.

— Il y a amour et amour. Certains liens
sont bons et bienfaisants, tandis que d'autres...

— Quels autres ?

Ces paroles à peine prononcées, elle les regretta et dit très vite :

— Avec le cardigan, généralement, on vend
un pull de la même couleur. Si tu es assez
riche, tu pourras acheter les deux pièces.

— Je serai assez riche.

Comme la porte du vestibule s'ouvrait, Jérôme observa :

— Ce doit être mon père.

Christiane se leva ; elle dit à voix basse :

— Tu as donc toujours peur de lui ?

— Non. Mais s'il doit me donner un travail,
je tiens à le faire. Après je serai libre. Au revoir.

Elle rentra chez elle, ouvrit un livre, l'abandonna, prit une étoffe, du fil, une aiguille, sans
pouvoir coudre. Pas de lettre de Francis. Peu
importait. Le ciel était d'un bleu splendide.
Toute beauté l'émerveillait lorsqu'elle ne se sentait pas malheureuse. Elle ne demandait à personne ce bonheur qui naissait et renaissait en
elle perpétuellement. Il lui suffisait de n'avoir

pas de souci, ni de peine, pour qu'une chanson, une couleur, un brin d'herbe la fassent tomber en extase. Mais ce soir, elle était triste, elle entendait la voix de Jérôme dire « Si je venais à la perdre... » et gardant l'image de cette tête brune si sensible, si loyale, elle croyait voir au-dessus d'elle toutes les épées du malheur.

Au rez-de-chaussée, sa tante recevait une amie. Après le départ de celle-ci, Christiane vint raconter à Mme Laurier, sa visite chez les Milan.

— Et maintenant, conclut-elle, le pauvre garçon mène une vie de reclus, la vie d'une vieille fille d'autrefois entre son père et sa mère. C'est pitoyable. Et ce qui l'attend n'est pas drôle. Il restera seul avec le docteur, ce vieux bougre si rigoureux, si peu compréhensif.

Christiane se trompait. Le vieux bougre devenait de plus en plus compréhensif. Quand Jérôme lui faisait une suggestion ingénieuse sur le régime de la malade ou les effets possibles d'un médicament, il montrait le plus vif intérêt, et si le garçon observait :

— Je crois que maman n'a pas assez de chaleur, dans cette pièce, ou pas assez de clarté.

Il répliquait :

— C'est parfaitement juste.

Le fossé creusé naguère entre eux était comblé par un même amour, une même crainte, un même désir de prolonger une vie si chère.

Le jour où le docteur emmena sa femme chez le spécialiste parisien, le professeur Var, Jérôme supplia Mme Milan de l'appeler au téléphone si le diagnostic était favorable.

Cet après-midi là, chez Lydie, les minutes semblaient interminables au jeune homme. Vers seize heures, la sonnerie retentit : Jérôme devint si blême que son élève se mit à trembler.

— C'est sûrement pour vous, professeur.

Ayant décroché l'appareil, elle lui fit signe. Elle n'entendit que ces mots : « Oui, mère. Ah ? Oui ? Alors, rien de grave ? Est-ce bien sûr... bien vrai ? Ah ! tant mieux... Oui, merci... A tout à l'heure. »

Il était si rayonnant lorsqu'il reprit sa place à table que la jeune fille remarqua :

— On dit que les enfants d'aujourd'hui n'aiment pas leurs parents. Vous n'êtes pas de la dernière couvée, professeur, mais vous n'êtes pas non plus de l'autre siècle et vous aimez beaucoup votre mère.

Comme il ne répondait pas, elle insista :

— Et votre père ?

— Mon père n'aime pas la plaisanterie et s'il entendait notre conversation, il dirait que je suis un ridicule professeur.

Lydie baissa le nez sur son livre. Elle ne se résignait pas à se taire.

— Puisque vous êtes rassuré, professeur, causons un peu.

— De quoi voulez-vous que nous parlions. D'après ce que vous venez de dire, je présume que vous avez peu d'affection pour vos parents.

— Détrompez-vous. Mes parents travaillent toute la journée, mais du samedi midi jusqu'au lundi matin, sept heures, je ne les quitte pas d'une semelle. Ils s'intéressent à tout ce que je fais, et moi, à tout ce qu'ils font. Ils examinent mes cahiers et ils jugent vos remarques excellentes. Mon père a dit : Ce garçon-là est vraiment très intelligent.

— Assez ! reprit Jérôme.

— Et savez-vous ce que Christiane a dit de vous ?

Il dressa la tête et la regarda d'un air interrogateur.

— Elle dit que vous avez dans l'âme un arc-en-ciel.

Il haussa les épaules :

— Que signifie cette sottise ?

— Eh bien, cela veut dire que vous avez des sentiments plus nuancés, plus délicats que la plupart des hommes.

— Assez ! dit encore Jérôme.

Mais il était si heureux qu'il lut à la jeune fille des poèmes de Verlaine et de Rimbaud, et chaque fois qu'il était fait allusion à l'amour, Lydie devinait que Jérôme pensait à Christiane Laurier.

— Allons, vos problèmes ! commanda-t-il tout à coup. Pourquoi me regardez-vous ainsi ?

Lydie ne répondit pas. Elle réfléchissait profondément. Un fait récent revenait à sa mémoire. Après avoir joué une sonate de Mozart devant Christiane, elle avait déclaré :

— Dans la musique, mademoiselle, tout parle d'amour. Mais les mathématiques évoquent aussi un idéal. Mon professeur me plaît beaucoup. Je sais qu'il est amoureux.

Christiane avait répondu négligemment :

— Ah ! De qui ?

— De vous, mademoiselle.

A présent Lydie comprenait que la terreur de voir mourir sa mère s'étant dissipée, Jérôme redevenait amoureux fou. Il ne s'aperçut même pas que son élève éludait la question. Tandis qu'elle alignait des chiffres sur son cahier, il composait mentalement un billet d'invitation à l'adresse de Christiane :

« Jérôme Milan vous recevra au kiosque dimanche soir. Illuminations. Feu d'artifice. »

— Mais Lydie, que faites-vous donc ? Ce que vous écrivez n'a pas le sens commun. A quoi pensez-vous, voyons ?

— Ah ! professeur, savez-vous ce que je cherche ?

— Non, bien sûr.

— La septième terre.

— Que voulez-vous dire ?

— Puisqu'il y a un septième ciel, je pense qu'il y a une septième terre, plus riche, plus belle, où les gens sont meilleurs et plus aimables. Je voudrais découvrir le chemin pour m'y rendre au plus tôt.

— Rien ne presse. Quel âge avez-vous donc ?

— Seize ans et demi.

Jérôme la considéra avec surprise. Comme elle grandissait et changeait depuis quelques semaines. Elle lui fit penser à ces plantes qui croissent et fleurissent au cours d'une seule nuit. Il répéta impatiemment :

— Vos problèmes, voyons.

— Nous ne faisons que cela, des problèmes. Toute la vie, n'est-ce pas, professeur ?

Il ricana. L'observation lui semblait assez juste.

Le lendemain, avant même d'ouvrir son cahier de musique, Lydie rapporta la scène du téléphone à Christiane Laurier. Celle-ci dit gravement :

— Les nouvelles ne sont pas tout à fait aussi bonnes que Mme Milan l'a annoncé. Elle tenait tellement à rassurer son fils. Elle a une lésion cardiaque sérieuse.

— Vivra-t-elle quand même ?

— Oui. Avec de grandes précautions. Et maintenant, asseyez-vous au piano.

Lydie déchiffra sans une faute une page de Schumann.

— Si cela se pouvait, observa-t-elle, je donnerais dix ans de ma vie pour prolonger celle de Mme Milan.

Christiane eut un mouvement de surprise :

— Par exemple ! Vous ne la connaissez même pas.

— Non, mais je connais l'amour que son fils a pour elle.

— Certes, et elle le mérite bien. C'est une femme extraordinaire : la bonté, la compréhension, l'indulgence, l'intelligence, elle a toutes les qualités à un très grand degré. Tout le monde l'aime dans notre pays. C'est la conseillère des jeunes et des vieux... Alors, vous abrégeriez votre vie si volontiers, mon enfant. De quel chiffre faudrait-il soustraire ces dix années... Personne ne sait la durée de son voyage sur la terre.

— Oh ! je ferais ce don les yeux fermés.

Christiane considéra de nouveau son élève d'un air surpris :

— Vous devenez terriblement bavarde, Lydie. Jouez-moi tout de suite la Fileuse de Mendelssohn... dans le mouvement, vous entendez ?

Lydie obéit. Après la leçon de musique, restée seule dans le salon, elle fut tout à coup attirée par une force mystérieuse et s'approcha de la fenêtre. Son regard plongeant dans la rue elle vit Christiane qui semblait hésiter, tournait la tête à droite et à gauche.

— Elle a certainement oublié ses gants, pensa Lydie.

Elle s'avança sur le balcon : le saisissement la cloua... Un jeune homme sautant d'un autobus vint à Christiane. Celle-ci lui tendit les deux mains qu'il garda un instant dans les siennes. Ils riaient, bavardaient et finalement s'éloignèrent en direction du métro.

Lydie avait reconnu Francis Valleray. Elle songea :

— Pauvre Jérôme. Je donnerais bien vingt ans de ma vie pour qu'il soit heureux.

Dans son cahier de problèmes elle écrivit :

$20 + 10 = 30 - ...$

Moins ?

Il fallait soustraire, mais le dernier chiffre elle ne le connaîtrait jamais sur la terre.

XI

L'âne de Paris est arrivé

Christiane Laurier refusa de jouer la comédie de la noyade. Elle eût même préféré que Francis Valleray renonçât à son projet de vacances à Mai-sur-Loire.

— Ma tante accepterait sûrement de faire un séjour d'une quinzaine dans la capitale. Je vous verrais du matin au soir.

La résolution de Francis était inébranlable. Mme Laurier, avertie, ne montra ni approbation ni réprobation :

— Tu es majeure, Christiane, dit-elle, et tu as reçu des principes qui doivent te guider toute ta vie. Agis selon ta conscience. En somme Jérôme n'est rien pour toi.

— Ah, si ! avait-elle répondu avec impatience. C'est l'ombre au tableau.

— Je ne comprends pas cette façon de parler.

— Je veux dire que j'aimerais le voir au bout du monde, à la condition qu'il s'y trouve bien.

Si la jeune fille était heureuse de la venue prochaine de Francis, elle craignait les éclats de Jérôme pourtant bien détaché d'elle apparemment. Il n'avait pas cédé au désir de feu d'artifice et de fête nocturne seul à seule avec l'amie d'enfance. Toutes sortes d'indices révélaient à son observation aiguë que le danger n'était pas écarté de la vie de sa mère.

— Tiens ! l'âne de Paris est arrivé, dit-il à Mme Milan un matin d'avril, en entrant dans la cuisine. Il vient pour Christiane. C'est clair comme le jour. J'aime les situations franches.

Il parlait ainsi tandis que Mme Milan préparait le repas de midi.

— Ne reste pas debout, mère, je t'en prie, assieds-toi. Je surveillerai cette chose qui cuit.

— C'est un soufflé au fromage.

— Très bien. Je tournerai le bouton quand...

— ...Tu sentiras le brûlé, dit-elle en riant. Retourne à ton travail, mon chéri. Est-ce que ton livre avance ?

— Lentement. J'espère qu'il sera fini au mois d'octobre. Alors je me reposerai sur mes lauriers et je ne ferai plus que de la médecine.

— Quel sera le titre de ton livre ?

— Temps. Espace.

Mme Milan s'attrista. A son avis personne

ne l'achèterait. Un tel ouvrage ne trouverait pas un seul lecteur.

— Ne pourrais-tu lui donner un titre plus concret ?

— C'est absolument impossible. Mon livre n'a rien de concret. Absolument rien.

Il répétait l'adverbe d'un ton sec, intransigeant, sans réplique. La mère pensa qu'il était peut-être encore possible de l'arrêter sur la voie de l'échec. Elle insinua :

— Je croyais qu'il te fallait faire beaucoup de voyages pour ta documentation. En avion. En train rapide. En traîneau. Et sous des climats très divers.

— Tous mes voyages sont faits. Bouclés. Des voyages imaginaires. Je te lirai mon premier chapitre, le mois prochain.

Elle ferma la petite porte du fourneau et s'assit devant son fils qui restait toujours debout, comme rivé au sol.

— Mon chéri, dit-elle, je sais que ton père veut t'offrir un canoë. Tu te proposais de suivre les étangs et les canaux landais, depuis Hourtin jusqu'à Arcachon, n'est-ce pas ?

Jérôme eut le souffle coupé.

— Mon père ! Un canoë !

— Mais oui, mon petit. As-tu changé d'idée ? Il bondit.

— Ah ! tu verras si j'ai changé d'idée. Je vais te montrer mon plan.

— Où est-il donc ?

— Chez moi.

Il s'élança dehors, sauta sur sa bicyclette et revint dix minutes plus tard du jardin où le kiosque servait de terrain d'envol à ses rêves. Il déplia une feuille au tracé à l'encre bleue : la côte de l'Atlantique, marquée de points rouges : Phare d'Hourtin, Phare de Moulleau. En vert, le chemin d'eau coupé de forêts de pins. Les étangs enchâssés comme des joyaux avaient leurs couleurs : *Caracans,* bleu ; *Lacanau,* gris ; *Arcachon,* rose ; *Cazaux* et *Sanguinet,* rouges.

Il jugeait le mois d'août très favorable à ce genre de voyage, mais, bien entendu, il ne partirait que si sa mère était parfaitement rétablie.

— Sois tranquille, dit Mme Milan, je ne néglige rien pour me remettre tout à fait et ne vous donner aucun souci. Non, mon chéri, laisse le couvert. Ce n'est pas fatigant. Je peux faire ce petit travail.

Jérôme ne l'écoutait pas. Il avait déjà placé les assiettes et les verres sur la table, lorsque le docteur Milan apparut. Il dit tout de suite à sa femme :

— Je meurs de faim, mon amie. Ah ! ça sent bon. Un soufflé au fromage, n'est-ce pas ? Personne ne réussit ce plat aussi bien que toi. Comment vas-tu ? Mieux ?

— Je vais très bien, répondait-elle en s'asseyant à côté de son mari.

Jérôme commençait à manger. Le docteur déplia sa serviette et il annonça :

— J'ai rencontré chez Châtelier, à la pharmacie, un parisien qui finit sa dernière année de médecine. J'ai causé avec lui. C'est un garçon fort intelligent.

Un profond silence accueillit ces paroles. Jérôme versa du vin dans le verre de sa mère, puis dans le sien, et il but comme s'il s'étranglait. Le docteur mangeait avec appétit, sans regarder sa femme ni son fils. Mme Milan avait posé sur la table un petit bouquet de primevères que Jérôme considérait d'un air bizarre.

— Il demande à m'accompagner dans une de mes tournées.

Henriette Milan réclama d'une voix sourde :
— Qui ?

— Cet interne. Il m'a donné sa carte. J'ai oublié son nom. François ou Francis Talleray ou Valleray. Il fera bientôt de la clientèle. Il désire s'initier. Autre chose est de voir le malade dans un lit d'hôpital et le malade chez lui. Il y a autant de différence entre les deux hommes qu'entre un cheval d'écurie et un cheval sauvage. Il faut savoir les prendre. Les médecins manquent souvent de psychologie. Bon sang ! Que de gaffes ils peuvent faire et de sottises ils peuvent dire. Je lui ai donné un conseil, à ce garçon : « Comptez vos mots, c'est plus sûr »... Pourquoi ne parles-tu pas, mon amie. Souffres-tu ?

— Mais non, pas du tout. Je n'ai pas faim, et tu sais, dans mon cas cela vaut mieux. On dit que la faim est l'ennemie du cœur.

Le docteur se tourna vers Jérôme et il observa de ce ton sardonique qu'il avait perdu au cours des dernières semaines :

— Toi aussi, tu as une maladie de cœur ? Je suis seul à me nourrir dans cette maison.

Jérôme regarda sa montre :

— Je file. Je suis en retard. Il faut que j'aille à Paris.

Mme Milan fut sur le point d'objecter :

— Comment, tu donnes des leçons pendant les vacances ?

Mais elle se hâta d'apporter le dessert composé de fruits.

— Merci, maman. Je n'ai pas le temps. Je mangerai davantage ce soir.

Elle le suivit dans le vestibule. Il l'embrassa et sortit sans ajouter une parole. Vers quatre heures, Lydie Meunier fut bien surprise de voir apparaître son professeur de mathématiques.

— Je suis contente de votre visite, dit-elle. Je m'ennuyais, Christiane m'abandonne pendant toutes les vacances... Quinze jours, c'est long. Vous me lirez des poèmes.

— Non. Lydie, je vous propose de faire un problème très facile.

— Merci pour les problèmes faciles. Je ne toucherai pas à un crayon, ni à un stylo avant le dernier jour du mois.

— Il s'agit d'un problème qui peut se résoudre sans chiffres.

— Alors, cela me plaît. Dites.

— Que feriez-vous d'une personne gênante ?

Elle le regarda d'un air ahuri.

— Quel genre de personne ? Et dans quel cas ?

— Je vous ai dit : gênante ! J'ajouterai : désagréable. Un poison, Lydie. Comprenez-vous ? Un serpent qui viendrait sur votre chemin, l'écraseriez-vous ?

— Oui, si c'est un vrai serpent, avec une tête plate et des taches noires sur fond brun, sans oreilles visibles. Mais si c'est une personne qui a deux pieds, deux mains, une créature raisonnable, je lui dirai : Débarrassez le plancher.

— Je n'ai pas dit : chez vous. Sur la route.

— Alors, je me détournerai. Je prendrai mes jambes à mon cou et j'oublierai le plus vite possible ce que j'aurai vu.

— Mais si c'est un ennemi qui vous a pris quelque chose... de très précieux... ce que vous aimez le plus en ce monde.

— Oh ! professeur, alors, je pleurerai toutes les larmes de mes yeux.

— Nigaude ! Ce n'est pas une solution.

Lydie répétait à mi-voix : Un ennemi... Un ennemi. Comment le faire disparaître sans le tuer. Enfin elle proclama :

— Ce n'est pas un facile problème, professeur. C'est plutôt un a...

— Un quoi ?

Elle avait parfaitement compris. Elle ne voulait pas dire : apologue... Parabole. Jérôme eut un rire amer.

— Cherchez, Lydie ! On assure que la vérité sort de la bouche des enfants.

Elle se redressa, indignée.

— J'aurai bientôt dix-sept ans.

— Ah ! bah ! peu importe, vous êtes totalement dépourvue d'astuce féminine. Au revoir !

Lydie l'accompagna dans le vestibule. Sur le palier, elle le rappela :

— J'ai trouvé !

Il revint précipitamment sur ses pas.

— Eh bien ?

— On dit qu'il faut prier pour ses ennemis. Si j'en avais un, je prierais pour lui et peut-être deviendrait-il mon ami.

Jérome resta une minute silencieux, puis il ricana :

— Je n'en suis pas encore à prier pour mes ennemis, mon enfant. Mais je ne vous empêche pas de le faire à ma place.

— Entendu.

Jérôme sortit en hâte. Il pensa qu'il était insensé de parler de telles préoccupations à une fille si jeune. Pourquoi garder une confiance pareille dans l'intuition féminine. Sotte manie. Pendant des années, il ne pouvait rien entreprendre sans consulter Christiane. (Que penses-tu de cette personne, de cet incident, de cet événement, de ce livre ? As-tu remarqué ce meuble à la vitrine de l'ébéniste ?) Et si Christiane répondait : Oh ! pas merveilleux, son jugement favorable glissait comme l'aiguille d'un cadran sous le doigt qui la fait avancer ou reculer.

Il s'attarda sur les quais, bouquinant, causant avec les marchands qu'il connaissait bien. Il aurait voulu rester à Paris pendant quinze jours. La pensée que Francis Valleray buvait, mangeait, dormait sous le ciel de la Loire — son ciel — qu'il se promenait avec Christiane — son amie — qu'il avait l'outrecuidance d'accompaguer le docteur — son père — dans ses tournées, lui donnait un grand désir de s'enfuir au bout du monde.

Sa mère l'attendait : il rentra par le train du soir. A la gare de Mai, comme il descendait de wagon, il crut voir debout devant l'étalage des journaux et magazines, une haute silhouette étrangère au pays.

— Ah ! se dit-il, je l'étranglerais avec un tel plaisir... Lydie fera bien de prier pour qu'il aille de bon gré s'installer dans la stratosphère.

XII

Du matin au soir

Le lendemain matin, à neuf heures, Mme Milan pria son fils de lui lire le premier chapitre de « Temps-Espace ». L'intérêt qu'elle lui témoignerait pourrait lui apporter quelques instants de diversion, que l'œuvre fût bonne ou mauvaise.

Jérôme se récusa. Le manuscrit était enfermé dans le tiroir de sa table, au fond du kiosque. Il ne se souciait pas de sortir. Il était sûr de rencontrer des personnes désagréables.

— Mais si je t'accompagnais, mon chéri. Il fait beau... Je ne sors pas si souvent.

Il la regarda d'un air hésitant, puis il répliqua :

— Comme tu voudras, mère. Je suis prêt.

Henriette Milan admira l'ordre qui régnait dans le refuge où son fils plaçait ses humbles

trésors. Elle s'assit dans un fauteuil ; Jérôme
posa sur la table sa montre en argent et dit :

— Pas plus d'une demi-heure.

Il commença de lire d'un ton neutre qui s'en-
flamma peu à peu. Dès les premières pages,
la mère fut saisie de surprise heureuse. Elle
avait pensé : « Ma pauvre chère montagne a
bien dû accoucher d'une souris. » Et voici qu'elle
retrouvait le coup d'archet révélateur, l'accent
même de la maîtrise. La langue était neuve, et
forte. Henriette Milan avait assez de culture
pour comprendre que l'esprit de son fils était
d'une acuité, d'une indépendance extraordinaires
pour son âge.

De temps à autre, Jérôme s'interrompait :

— Cela ne t'ennuie pas, maman ? Tu n'es pas
fatiguée ?

Elle répondait simplement :

— Continue.

La demi-heure était passée. L'heure s'écoula.
Jérôme lisait toujours. Mme Milan sentait son
cœur se fondre de joie. Quoi qu'il advînt, son
fils avait en lui de telles richesses, qu'il ne serait
jamais désespéré.

Lorsque l'angélus de midi traversa l'air printanier, Jérôme déclara :

— Voilà mon premier chapitre. Quatre-vingt-
dix pages très serrées... Ça te plaît ?

Elle répondit d'une voix tremblante d'émotion :

— Tu as bien travaillé, mon petit.

Jérôme lut dans les yeux de sa mère une approbation qui dépassait les paroles. Alors il s'étira joyeusement :

— J'ai une faim d'ours, dit-il, et je t'ai empêchée de préparer notre pitance. Qu'allons-nous devenir ?

— Rassure-toi. Avant de t'accompagner ici j'ai fait le déjeuner. Dans dix minutes nous pourrons nous mettre à table. Veux-tu me confier ton cahier, mon enfant ?

— Pourquoi donc ?

— J'aimerais le garder quelques jours.

— Eh bien, prends-le.

Elle ne voulait pas révéler son dessein à son fils, mais le docteur veilla tard ce soir-là. Henriette Milan l'épiait avec angoisse. S'était-elle trompée ? Lorsqu'il leva enfin la tête et referma l'épais cahier, il gronda :

— Incasable ! Invendable !

Il éteignit la lampe et se coucha. On n'entendait plus que la pluie tomber et le tic-tac du réveil. Dans les ténèbres, la voix changea tout à coup de ton :

— Il a un fier talent, ton gredin. Je le laisserai travailler tranquillement désormais. Il ne gagnera jamais un radis avec son bouquin, ni avec ceux qui sortiront de sa curieuse tête. Mais que veux-tu, chérie, cela vaut la peine. Tu peux te féliciter de l'avoir mis au monde.

Henriette Milan se sentit soudain tellement allégée qu'elle eut le courage de lui demander :

— Parle-moi de ce jeune parisien qui vient d'arriver à Mai. Il en est à sa dernière année de médecine ? Il a passé ses concours ?

Le docteur suivait le fil de ses pensées :

— Un éditeur n'en vendrait pas dix exemplaires, mais je paierai les frais d'impression. Oui, cela vaut réellement la peine. Une révolution dans le monde des idées. Ah ! le gaillard, il a passé le mur du son à sa manière. Que dis-tu ? Le Parisien ? C'est un type standard, comme il y en a des milliers et des milliers. Cheveux en brosse, traits réguliers, excellente mémoire. Et pas bête du tout. Je l'ai emmené chez des malades, mais certains ont cru qu'il s'agissait de mon remplaçant et sais-tu quelle remarque ils m'ont faite ?

Il se mit à rire. Il pouvait à peine achever sa phrase. Jamais Henriette Milan n'avait vu son mari dans une telle gaieté.

— Il m'ont dit : Nous aimerions mieux votre petit gars.

Henriette ne l'écoutait plus. Elle pensait : Demain il faudra que j'aille voir madame Laurier. Je lui parlerai. Je lui dirai l'opinion de mon mari sur Jérôme. Cela aura du poids et fera pencher peut-être la balance...

Soudain, elle s'assit dans son lit, prêta

l'oreille ; elle entendit un craquement dans l'escalier.

— Où vas-tu donc ? demanda le docteur.

Elle se leva, entr'ouvrit sans bruit la porte et se pencha sur la rampe :

— Jérôme ! appela-t-elle. Est-ce toi, mon chéri ?

Une lumière s'éteignit au rez-de-chaussée ; des pas rapides résonnèrent dehors.

Mme Milan s'approcha de la fenêtre qui donnait sur la rue. Elle vit Jérôme s'éloigner, nu-tête, courbant les épaules sous la pluie. Elle regagna sa chambre.

— Je me demande ce que tu fais, dit le docteur.

— Rien du tout. J'avais cru entendre du bruit.

— C'est notre philosophe qui doit arpenter en méditant sous ses combles. A propos, qu'est-ce que cette histoire de leçons à Paris ? Tu m'as dit qu'il donnait des répétitions à une gamine ? Prie-le dès demain de cesser ces besognes. Je lui servirai une petite rente. Il n'a pas des goûts tellement dispendieux. Qu'il travaille pour lui et laisse les autres... Tu ne me réponds pas, Henriette ? Dors-tu ?

— Non, mon ami, je pense.

— Et à quoi donc ?

Elle pensait :

« Jérôme va sûrement chez Mme Laurier.

J'ai pris ma décision trop tard. On arrive toujours trop tard dans la vie des jeunes.

Le docteur insista :

— N'es-tu pas contente de ta découverte, ma chérie ? N'as-tu pas insisté pour que je lise le manuscrit de Jérôme. Serais-tu déçue ?

— Non, mon ami. Je crois bien que c'est la plus grande joie de ma vie.

— Parbleu, moi aussi, je le crois bien.

Elle se reprit vivement :

— Ah ! qu'ai-je donc dit. J'oublie le bonheur des bonheurs... le premier de tous, quand j'ai vu ce petit bonhomme dans son berceau...

— Chérie, c'est une joie du même ordre. Il ne suffit pas de donner la vie, n'est-ce pas ?

— Oui, mon ami, tu as raison.

Elle poussa un soupir si léger qu'il ne l'entendit pas. Sa pensée volait à la suite de son fils. Sous la pluie, Jérôme marchait à toute allure, il traversa la place de la mairie en courant. Chez les Laurier, la porte de la cour était entr'ouverte, le salon éclairé en dépit de l'heure avancée.

Le son du piano cloua le jeune homme sur le seuil, une voix délicieuse chantait :

> *Dans le cristal limpide*
> *D'un torrent écumant.*

Une souffrance aiguë le saisit. Il resta immobile sous l'averse et quand la voix se tut, il entra dans le corridor, à la lueur d'une lampe voilée. Il frappa. Nul ne répondit. Il regardait la rangée des porte-manteaux en pitchpin où étaient suspendus un petit imperméable couleur d'argent, un léger cabas en pailles de couleur multicolores, entrelacées, une écharpe rose.

« La truite, c'est elle, pensa-t-il. Quelle sotte. »

Le bruit de la converation était perceptible à présent : un trio formé d'une basse, d'un contralto et d'un soprano. La première disait :

— Je l'ai rencontrée à Paris quelques jours avant Noël. J'attendais l'autobus. Le vent soufflait. Mon ticket s'est envolé de mes doigts, comme un papillon, il s'est posé sur les cheveux de Christiane comme sur un buisson parfumé. Un numéro 850, madame. On eût dit le prix de la poupée de Noël. Et voici comment j'ai connu votre nièce.

Un grondement répondit :

— Que comptez-vous faire, monsieur ?

— Nous marier. (La voix prit un accent de politesse un peu forcée.) Avec votre permission, madame.

— Vous êtes majeurs l'un et l'autre. Je n'ai rien à dire.

Le soprano intervint :

— Ah ! ma tante, j'espérais que tu nous aurais félicités.

— Je croyais que les félicitations étaient pé-

rimées. Tout est changé à présent... Quand
vous marierez-vous ?

— A la fin de septembre ou au début d'octobre, répondit Christiane.

Elle s'interrompit : un coup violent fut frappé
à la porte. Christiane se précipita pour ouvrir ;
elle étouffa un cri :

— Toi ! A cette heure.

Jérôme entra dans le salon sans saluer personne. Ce qu'il venait d'entendre lui semblait
si épouvantable qu'il paraissait assommé, à demi mort. Ses cheveux ruisselaient et son manteau de gabardine beige était noir de pluie.
Mme Laurier, qui tricotait près de la cheminée,
annonça :

— Jérôme Milan, un ami d'enfance de Christiane... Francis Valleray, étudiant en médecine.

Jérôme feignit de ne pas voir la main que
Francis lui tendait.

— Donne-moi ton manteau, dit Christiane.

Il n'eut pas l'air d'entendre ces paroles et
s'assit sur une fragile chaise au coussin de satin clair. Il regardait fixement Francis et ce
qu'il voyait était encore plus épouvantable que
ce qu'il avait entendu.

Son rival avait une belle figure franche et
rieuse, l'air intelligent, de l'aisance, du naturel.
Il était sympathique. Une glace renvoyait son
magnifique reflet à côté du garçon maigre et
transi aux vêtements dégouttants de pluie.

Christiane lisait toutes les pensées de Jérôme : elle était d'une pâleur mortelle. En cet instant elle souffrait autant que lui ; elle le plaignait et le haissait à la fois.

Mme Laurier essaya de rompre un silence de plus en plus pénible.

— Comment va madame votre mère ?

Jérôme ne répondit pas. Il semblait avoir perdu l'usage de la parole. Ses cils battaient, ses yeux clignotaient comme ceu. d'un oiseau de nuit aveuglé par la lumière. On eût dit qu'il allait pleurer.

Francis Valleray se leva, il traversa le salon et tendit à Jérôme son étui à cigarettes. Ce geste si banal fit un étrange effet au jeune homme. Il s'émut. Oui, il est réellement sympathique, pensait-il. Je comprends Christiane. Elle a raison. Aurais-je pu lui donner le moindre bonheur...

Il toussa et répondit :

— Merci, monsieur, je ne fume pas, j'ai la gorge fragile.

Mme Laurier posa son tricot. Il fallait tout de suite préparer le thé.

— Vous êtes trempé jusqu'aux os, mon enfant. Une boisson chaude vous fera du bien.

Elle se rendit dans la cuisine sans attendre la réponse. Dans son désarroi, Christiane suivit sa tante, laissant seuls les deux jeunes hommes.

Francis observa gaiement :

— Une pluie d'orage. Ça ne va pas durer.

Jérôme ricana :

— Oui, je pense que le soleil brillera dans cinq minutes.

Francis lui jeta un regard d'effroi. Devenait-il fou ? Jérôme tira son mouchoir de sa poche et s'épongea le visage, lentement, puis les cheveux. Au fond de la cuisine, Mme Laurier s'affairait et cherchait vainement à renvoyer Christiane au salon.

— Je n'ai pas besoin de toi, ma chérie. Ne les laisse pas tous les deux face à face.

— Oh ! ma tante, j'ai peur, j'ai peur.

— Tu exagères. Ils ne vont tout de même pas s'entretuer.

Cependant Francis demandait à Jérôme :

— Vous préparez des examens, monsieur ? Un concours ?

— Non. Je travaille dans un but désintéressé.

— Qu'étudiez-vous donc ?

— L'animal humain.

Il y eut de nouveau un tel silence que les deux garçons auraient presque pu entendre Christiane faire toujours la même réponse à sa tante qui insistait pour qu'elle regagnât le salon.

— J'ai peur. J'ai peur.

Francis se croyait bien capable d'amadouer Jérôme. Il lui dit avec fatuité :

— J'ai accompagné monsieur votre père auprès de ses malades. Très intéressant... J'ai vu

« la » polynévrite. Lamentable... Hélas, que pourrait-on faire ?

— Mettre de l'eau dans tous les vins et alcools.

— Pour l'avenir, soit ! mais dans le cas présent ?

Jérôme eut un geste désespéré. Le docteur Milan usait de tous les analgésiques pour adoucir la fin du malheureux.

— Quel âge a-t-il ?

— Trente ans.

— Il l'a voulu... Si jeunesse savait, n'est-ce pas ?

Jérôme le regardait d'un air moqueur :

— Jeunesse est trop courte, cher monsieur. Si jeunesse durait deux ou trois cents ans, elle comprendrait, elle apprendrait peut-être... Et jeunesse n'a pas toujours du génie.

Il s'interrompit. La tante et la nièce apparaissaient : la première portant le plateau des toasts, la seconde une théière en porcelaine blanche et or. Christiane était si troublée qu'elle glissa, fit un faux pas et, se redressant pour éviter de tomber, elle répandit du thé bouillant sur ses mains. La brûlure lui fit lâcher la théière qui se brisa sur le parquet. Madame Laurier poussa un cri.

— Qu'ai-je fait ? dit la jeune fille consternée. Comme je suis maladroite.

— Tu as des mouvements trop nerveux, gronda Jérôme.

— Oh ! dit Francis, ce n'est rien du tout. Cela arrive à tout le monde. N'êtes-vous pas souffrante ? Montrez-moi vos mains. Vous avez dû vous brûler.

Il prit les mains de Christiane dans les siennes. Jérôme intervint :

— Laissez-la donc.

— Par exemple ! Elle a des brûlures sérieuses.

Jérôme ricana :

— Faites-vous comme moi des pansements depuis l'âge de quatorze ans ? Allons, viens, Christiane. J'en ai pour cinq minutes.

Francis Valleray suivit les jeunes gens dans la cuisine.

— Que lui mettrez-vous sur les doigts ? dit-il. De la pomme de terre écrasée ?

Il regardait curieusement Jérôme ouvrir la petite armoire à pharmacie, préparer un pansement. Christiane tremblait ; elle sentait moins la brûlure que l'angoisse. Après avoir enduit les mains de la jeune fille d'un liquide rouge et d'une pommade, il les lui banda avec une extrême habileté.

— Vous feriez un bon infirmier, observa Francis avec ironie.

Jérôme ne parut pas entendre cette remarque. Christiane dit vivement :

— Je vais refaire du thé. Retournez au salon.

Comme Mme Laurier ramassait les débris de

la théière, Jérôme se précipita, il saisit un morceau de porcelaine blanche ourlée d'or et le glissa ostensiblement dans sa poche.

— Un souvenir de cette soirée, dit-il. Si jamais j'étais tenté de l'oublier, je regarderais ce petit fragment en biseau, coupant comme une arête, et cela m'inspirerait certainement des décisions sages... Merci pour le thé, Christiane. Je n'en ai pas besoin, maintenant. Je suis tout fait réchauffé. Minuit va sonner. Je vous souhaite à tous une bonne fin de nuit.

Il se glissa dehors. Christiane le suivit en silence. Il lui dit gravement :

— Sois tranquille, Christiane. J'ai bien fini de te déranger. Le bougre pourra te faire les autres pansements. Tu ne me retrouveras plus sur ton chemin.

XIII

Jérôme est-il chez toi ?

Jérôme dormit deux heures, cette nuit-là. A son réveil, il prononça ces mots à voix haute :

— Il est éminemment sympathique.

Et puis :

— Je voudrais bien avoir des nouvelles des brûlures. Elles paraissaient très superficielles, certes, mais les mains de cette pauvre fille sont si frêles.

Il s'habilla et descendit au rez-de-chaussée : personne dans la cuisine. Il remonta précipitamment au premier étage. La porte de la chambre de ses parents était entr'ouverte. Il fut saisi de peur en apercevant sur l'oreiller les cheveux gris de sa mère. Il cria :

— Maman !

Mme Milan s'assit dans son lit et tourna vers son fils une figure pâle mais souriante.

— Mon chéri ?

— Maman, tu es malade ?

— Pas du tout. Une idée de ton père. Il a voulu que je me repose une heure de plus après mon petit déjeuner. Le café est prêt. Tu trouveras les biscottes dans le placard, et le beurre...

Il l'interrompit d'un geste et s'assit avec lassitude à son chevet.

— Rien ne presse. Je suis sûr que tu es réellement souffrante. Que s'est-il passé ?

— Mon chéri, si tu ne veux pas me croire, ton père te rassurera dans un instant. Il téléphone à un laboratoire de Paris. Il veut te parler. Il a lu ton livre. Il en est emballé.

— Ah ! dit Jérôme, indifférent. Figure-toi que je suis sorti hier soir. J'ai obéi à une impulsion. Je ne le regrette pas. Maintenant je sais à quoi m'en tenir au sujet de Christiane et de Francis.

Il fit une pause. Madame Milan le regardait sans oser l'interroger.

— Ils se marieront à la fin de septembre ou au début d'octobre, reprit-il. L'animal est éminemment sympathique. Il a tout pour lui. Figure-toi... (Il répétait les mêmes mots avec un sourire contraint.) Figure-toi que Christiane a renversé la théière pleine de thé bouillant. Elle s'est brûlé les mains. Je lui ai porté la malchance.

— Oh ! mon petit, que dis-tu... Elle s'est brûlée ?

134

La voix du docteur résonna au bas de l'escalier :

— Henriette ? Jérôme est-il chez toi ?

— Oui, mon ami.

— Qu'il descende.

Jérôme dégringola les marches ; il entra dans le bureau du docteur et, tout de suite, il aperçut le quartier d'améthyste qui servait de presse-papier à son père, sur le manuscrit « Temps-Espace ».

— J'ai lu ton essai, annonça le docteur Milan après un silence.

Jérôme dit simplement :

— Ah !

Le docteur eut un nouveau silence. Il réfléchit encore, comme s'il pesait ses mots avant de prendre un engagement.

— Il ne faut plus te disperser, mon fils. Tu dois te concentrer, te recueillir. Ne donne plus de leçons à qui que ce soit. Je te servirai une pension mensuelle pour tes dépenses, achats de livres, vêtements, etc.

— Merci, père.

— En retour, je compte sur toi pour mener ton œuvre à bien, et, désormais, je te considère comme dégagé de tout travail ici ou là. En ce moment, il y a peu de malades.

— Si tu as besoin de moi, n'hésite quand même pas à me le dire.

— Entendu. Et maintenant, un conseil. Ne te

dope pas. Ne veille pas. Et méfie-toi des femmes.

Jérôme eut un rire amer. Le docteur se leva,
il prit son sthétoscope, sa trousse et répéta d'un
ton guilleret :

— Rassemble-toi. Concentre-toi. Tu es armé
pour les grands raids. Ah ! bigre, je ne t'aurais
pas cru pourvu d'ailes aussi longues.

Jérôme était tout fier. Il revint de nouveau
près de Mme Milan et lui rapporta les paroles
du docteur.

— Je suis si contente de te voir apprécié selon tes mérites, mon cher petit. Suis bien les
conseils de ton père. Et surtout, cesse les répétitions qui te fatiguent.

— Je ne lâcherai pas Lydie, à la veille des
examens, mais tout de suite après. Je serais content de reprendre ma liberté.

— Ne pourrait-elle trouver dès maintenant
un autre répétiteur ?

— Ce n'est pas impossible. Je lui en parlerai
à la rentrée de Quasimodo.

— Combien de temps faudra-t-il pour ter-
miner ton livre ?

— Six mois, je pense. Huit mois au plus, si
j'écris à l'allure de ces dernières semaines. Tu
comprends, mère, c'est le fruit de toute ma vie.

— Toute ta vie, mon chéri, pas même vingt
ans, à supposer que tu penses depuis l'âge de
trois ans.

Jérôme répondit avec un sourire triste qu'il avait pourtant l'impression d'être bien vieux. Il suivit sa mère au rez-de-chaussée et l'aida comme de coutume aux besognes ménagères. Comme elle protestait et voulait le renvoyer à son travail, il observa :

— Je ne suis pas en train ce matin. Il faut que je recharge mes accumulateurs.

Il se tenait à proximité du téléphone afin d'inscrire les communications des clients. Mme Laurier souhaiterait peut-être que Christiane montrât au vieux docteur ses brûlures.

— Après-midi, j'irai prendre des nouvelles, promit la mère.

Le docteur Milan revint très tard de sa tournée matinale. Henriette dut servir le déjeuner à deux heures. Après le dessert, elle s'habilla avec soin, choisit un tailleur gris clair, et un chapeau printanier de paille et de tulle. Mme Laurier la félicita de sa mine et de son allure rajeunies. Elle semblait en parfaite santé.

— Je vais beaucoup mieux, chère madame. Mais j'étais inquiète. J'ai appris l'accident survenu à votre nièce, hier soir. Comment va-t-elle ?

La figure de Mme Laurier se crispa légèrement. Les brûlures de Christiane paraissaient sans gravité. Elle avait passé une très bonne nuit.

— Elle est sortie. Elle a déjeuné à Orléans, chez des amis.

Madame Milan pensa que le pluriel était inexact. Il désignait un seul ami, sans doute. Elle ajouta :

— Votre jeune interne n'a pas accompagné mon mari dans sa tournée, ce matin.

— Il a pris le premier train pour Paris.

Cette nouvelle remplit d'espoir le cœur de la mère.

— Je croyais qu'il passerait les vacances de Pâques à Mai. Mon mari l'apprécie beaucoup.

— C'est un garçon sérieux et plaisant, reprit Mme Laurier. Mais sait-on ce qui se passe dans la tête des jeunes d'aujourd'hui ? Que signifie un départ si brusque ? Mystère. Il ne l'avait pas annoncé, hier soir. Ce matin, Christiane m'a dit : « Je suis invitée à déjeuner chez mes élèves d'Orléans. Francis est appelé à Paris... » Ils ont dû prendre le même train.

— Etes-vous sûre que votre nièce allait à Orléans ?

— Christiane n'est pas menteuse. Pourquoi mentirait-elle ? Je ne la contrarie jamais. Je ne l'accable pas non plus de questions. Je lui fais confiance. Mais aujourd'hui on peu s'attendre à tout. (Elle répétait : aujourd'hui, comme elle eût dit : le fond de l'enfer.) Heureusement, le facteur l'a vue descendre aux Aubrais. Cela m'a rassurée. Elle reviendra par le train de dix-

sept heures vingt-deux qui ne correspond pas
avec celui de Paris.

A présent, Mme Milan rougissait d'avoir ex-
primé de tels soupçons. Elle balbutia des excuses.

— Mais non, mais non, dit tout de suite Mme
Laurier. Je vous comprends si bien. Et vous
savez que mes projets d'avenir pour nos enfants
se trouvent aussi contrariés que les vôtres.

Mme Milan ne se tint pas de révéler la découverte du kiosque et le changement d'attitude du
docteur envers son fils. Mme Laurier ne montra aucune surprise. Elle avait toujours pensé
que Jérôme deviendrait « quelqu'un ».

— Hélas, la littérature ne nourrit pas son
homme objecta-t-elle avec un sourire de pitié.

— Ce n'est pas de la littérature, chère madame. C'est de la philosophie pure, une philosophie qui ne ressemble à aucune autre. Une
construction réellement originale.

— Rien d'étonnant, reprit Mme Laurier. Jérôme ne ressemble à personne. Je l'aime beaucoup, moi, vous savez, chère amie. J'aurais
souhaité pour lui une carrière lucrative.

— Le professorat n'est pas si mal rétribué,
à présent. Jérôme brûlera facilement les étapes.
A mon avis, sa thèse de doctorat est toute prête.

— Tant mieux ! Si votre fils obtient tous les
succès qu'il mérite — et que je lui souhaite —
il sera comblé.

Mme Milan se retira, toute allégée. Pourtant elle aurait bien voulu donner à Jérôme la certitude du départ de Francis Valleray. Comme elle passait devant la boutique du boulanger, elle aperçut Arsène Martin, l'employé de la gare préposé à la distribution des billets ; il faisait ses provisions et choisissait un pain en ronchonnant. La farine n'était pas assez blanche, la mie assez fraîche, la croûte assez dorée.

Mme Milan n'hésita pas à ouvrir la porte de la boutique, elle commanda des gâteaux secs, du chocolat et un pain de Gênes. Tandis qu'elle s'attardait à dessein, la fille du boulanger interrogea Arsène :

— Y a-t-il beaucoup de voyageurs en ce moment ?

— Dame non ! Les gens filent tous par la route. Je n'ai donné que deux tickets ce matin, un pour Orléans, à une demoiselle d'ici, Christiane Laurier, et l'autre pour Paris, à un jeune homme que je ne connais pas et qui logeait à l'auberge, à ce qu'il paraît.

Mme Milan se réjouissait à la pensée de réconforter son fils. Mais celui-ci l'écouta parler sans l'interrompre et sans manifester la moindre satisfaction. Il ne se fiait ni à Christiane ni à Francis. Ils pouvaient bien aller dans des directions différentes, il était sûr qu'ils se retrouveraient finalement et se marieraient au mois de septembre, comme ils l'avaient dit.

Le lendemain, à Mai-sur-Loire, personne n'entendit parler de Francis Valleray. Christiane, elle-même ne semblait pas savoir ce qu'il était devenu.

Le surlendemain, la fermière des Halliers, qui portait le lait aux habitants du village, entra dans la cuisine des Milan, tandis que Jérôme faisait bouillir de l'eau pour le thé.

— Un beau temps, dit-elle en posant le récipient sur la table.

Le jeune homme la remercia et demanda poliment :

— Pas de malades chez vous ?

— Non, monsieur Jérôme. Tout le monde va bien. Espérons que ça durera. Comme on dit : la maladie vient au galop et s'en va au pas.

Jérôme apprécia l'aphorisme, mais il ne dit rien. La fermière ouvrit la porte ; elle était prête à sortir : tout à coup, elle se ravisa :

— Et savez-vous la nouvelle, monsieur Jérôme ?

— Quelle nouvelle ? Comment la saurais-je ? Vous êtes la première figure humaine que j'aperçoive ce matin.

— Eh bien, le gars de Paris, celui qui logeait à l'auberge, il est revenu, oui ! dans une une voiture toute brillante comme un bonbon. Pas grande, mais je vous le dis : un bonbon.

— Une bonbonnière, plutôt, répliqua Jérôme avec un rire dur.

— Il faut qu'il ait des intentions. Peut-être qu'il va s'installer ici, poursuivit la bonne femme, à moins que ce soit seulement pour courir le monde.

— Il fera bien ce qu'il voudra, gronda Jérôme, je m'en balance.

— Mais on dit qu'il a suivi le docteur chez les malades ?

A ce moment, une voix sonore intervint :

— De qui parlez-vous donc ?

Le docteur Milan entrait à son tour dans la cuisine, mais la fermière ne lui prêta aucune attention, elle bondit vers la fenêtre :

— Tenez ! dit-elle, le v'là. Regardez donc, monsieur Jérôme ! La voiture qui tourne sur la place.

Jérôme ne bougea pas. Le docteur demanda :

— Le thé est-il prêt ? Ah ! très bien. Je vais le prendre tout de suite. Il faut que j'aille au hameau des Vernays. On vient de téléphoner.

Avant de partir, il recommanda à son fils :

— Travaille, mon garçon. Rassemble-toi. Je ne sais plus qui a dit : La concentration est la source de toute perfection.

La porteuse de lait se retira, toute ahurie. Elle passa chez Mme Laurier. Celle-ci était sans doute bouleversée, elle aussi, par l'achat de la voiture car elle criait avec indignation :

— Sans argent, comment a-t-il pu faire une pareille dépense ?

— On vend les voitures à crédit, aujourd'hui. Ne le savais-tu pas ? Nous en aurons besoin pour nos randonnées et le camping. Nous ferons notre voyage de noces à travers toute la France, du nord au sud, de l'est à l'ouest.

C'est ainsi que la nouvelle des fiançailles de Christiane Laurier fut révélée par la fermière des Halliers qui la colporta dans le pays.

XIV

La lettre déchirée

Le vendredi vingt-et-un avril, Jérôme Milan se rendit à Paris afin de prendre congé de son élève. Lydie ne vint pas l'accueillir ; sur la porte entrebâillée, une carte et ces mots :

Entrez sans sonner.

Il se glissa dans l'appartement qui semblait désert. Après avoir attendu vainement, il appela :

— Etes-vous ici, Lydie ?

Une petite voix faible le guida :

— Je suis dans ma chambre.

Il traversa la salle à manger, le salon, et vit Lydie enfouie sous ses couvertures. Elle dressa une figure empourprée aux yeux brillants de fièvre.

Jérôme grommela :

— Qu'avez-vous donc ?

— J'ai froid. Je tremble. C'est peut-être du paludisme.

Il haussa les épaules :

— Qui vous soigne ?

— Maman amènera ce soir une de ses amies. une doctoresse. En attendant, j'ai de la citronnade.

— Si vous avez froid, il faut boire une infusion chaude. Ou de l'alcool. Un grog. Donnez votre main.

Elle obéit. Il prit ses pulsations.

— Vous avez une fièvre de cheval. Souffrez-vous ? La tête ? La gorge ?

— Non, professeur, je ne souffre que du froid.

— Dites-moi où je trouverai du tilleul et des citrons ?

— A la cuisine, il n'y a que des pommes de terre et des boîtes de conserves. Ma citronnade est encore bonne. On pourrait l'ébouillanter.

— Attendez cinq minutes. Ne bougez pas.

Jérôme se mit à la recherche d'une fruiterie et d'une pharmacie. Il revint assez vite auprès de la malade. Elle dormait. Il la regarda d'un air perplexe et chagrin. Que pouvait-elle incuber ? Le temps de la grippe était passé. Une affaire pulmonaire, sans doute.

Il ne voulait pas la réveiller ; il n'osait pas non plus se retirer ; il restait immobile, son sac d'oranges et de citrons entre les mains. La pendule sonna quatre heures.

— Je vais perdre mon après-midi toute en-
tière, pensa-t-il.

Le bruit léger réveilla Lydie. Elle ouvrit les
yeux ; il s'écria :

— Ne dormez plus, Lydie. Je vais vous préparer une boisson chaude. Vous prendrez un
des cachets enfouis dans cette petite boîte :
cela vous fera un effet magique.

Il alluma le réchaud à gaz, fit bouillir de
l'eau et pressa deux oranges et un citron. Lydie
but le breuvage avec avidité. Elle mourait de
soif.

— Pourquoi ne me l'avez-vous pas dit ?

— Je ne voulais pas vous déranger, professeur.

— Vous êtes stupide. Avez-vous besoin de
quelque chose à présent ?

— Non, merci. Fermez bien la porte quand
vous partirez.

— Entendu. Et ne sortez pas de votre lit. Ne
faites pas d'imprudences. Je reviendrai un de
ces jours. Avez-vous des devoirs à corriger ?

— Oui. Mon cahier est sur la table, près de
la fenêtre. Un cahier bleu.

Il s'éloigna en hâte. Avec l'argent que son
père lui avait donné, il allait acheter des livres
convoités depuis longtemps. Quand il regagna
la gare d'Austerlitz, sa serviette de cuir était
si bourrée qu'il ne pouvait plus la fermer.
Dans le train, il feuilleta les bouquins avec

passion. Quel travail il ferait dans le kiosque
à présent qu'il était libéré de toute occupation
fâcheuse. La pauvre Lydie était au repos pour
quelque temps. Il prévoyait trois semaines de
maladie, trois semaines de convalescence. Elle
serait bien avisée de se mettre au vert pendant
tout l'été.

— Je l'enverrais à la montagne, si j'étais son
docteur.

Le train partait. Jérôme se plongea dans une
lecture qui le mena jusqu'à Orléans. Ce soir-là,
dans sa chambre, il veilla longtemps encore.
Avant de se coucher, il ouvrit le cahier de
Lydie, corrigea rapidement les devoirs. Comme
il tournait une page, il aperçut un feuillet bleu
constellé d'écriture ronde et fine : celle de Christiane. Il s'agissait d'une lettre non datée :

« Ma chère petite Lydie,

« A vous seule, j'annonce aujourd'hui ce que
« personne ne sait encore : mes fiançailles avec
« le jeune homme que vous connaissez. N'en
« parlez donc pas. Rien de plus secret. Mon
« bonheur n'est pas complet, hélas, car il fait le
« malheur d'un être que j'aime beaucoup (mais
« sans amour) et que je voudrais tant voir
« heureux... »

— Ah ! pensa-t-il en ricanant, le secret de
Polichinelle. Et comme je suis touché de cet
amour sans amour.

Il poursuivit la lecture :

« ... tant voir heureux. J'espère bien qu'il le
« sera un jour. Il paraît qu'il a du talent, trop
« de talents (au pluriel). A vrai dire, cela ne
« mène à rien. Tâchez donc de l'inviter au
« prochain congé de votre sœur aînée, Simone.
« Il me semble qu'ils pourraient s'entendre, elle
« et lui. Elle a l'esprit tellement pratique :
« cela ferait contre-poids... »

Le jeune homme déchira le papier avec
colère :

— La triple sotte. Elle voudrait me marier
pour apaiser ses remords. Mon bonheur manque à son bonheur. Ah ! l'idiote. Quand je la
rencontrerai je lui dirai que le plus grand malheur du monde c'est l'imbécillité, l'incompré-
hension. Elle et son espèce de m'as-tu-vu auront de beaux crétins d'enfants, voilà ce qu'ils
doivent craindre.

A la fin de la semaine, Francis Valleray regagna Paris : il emmenait dans sa voiture Mme
Laurier et Christiane.

Jérôme attendit quinze jours pour se présenter
chez Lydie. Celle-ci avait eu, selon les pronostics
du jeune homme, une « affaire pulmonaire »
assez grave. Une voisine lui tenait compagnie.
Jérôme fut effrayé de la maigreur de son élève.
Il essaya de plaisanter :

— Pensez-vous à votre « bac » ? Etes-vous prête ?

— Certainement. Je me lèverai pour me présenter le douze juin, morte ou vive. Je jouerai le tout pour le tout. La fortune n'est-elle pas aux audacieux.

— Sans aucun doute.

Il tira de son portefeuille un papier froissé :

— Je vous demande pardon, Lydie. J'ai trouvé cette lettre dans votre cahier. Elle ne m'était adressée : je l'ai lue. Elle ne m'appartenait pas : je l'ai déchirée. Finalement, je l'ai recollée. La voici.

Lydie rougit. Elle saisit le papier et le glissa sous son traversin. Jérôme, très embarrassé, changea de conversation. Où Lydie passerait-elle sa convalescence ? Ses vacances ?

— Comment ? Vous ne le saviez pas ? Vivez-vous dans la lune ou à Mai-sur-Loire ? Christiane ne vous a pas dit que je me reposerai chez elle jusqu'à la rentrée d'octobre ?

— Elle ne m'a rien dit, répliqua Jérôme. Je ne me soucie pas de ses racontages. Nous avons peu d'occasions de rencontres à présent.

— Christiane me donne pourtant de vos nouvelles chaque fois qu'elle vient ici. Elle m'a dit que votre père va vous acheter un canoë.

— C'est exact. J'ai l'intention de descendre les fameux canaux landais, les fameux étangs. Je camperai. Je ferai ma cuisine en plein air.

— Tâchez de ne pas mettre le feu dans les forêts de pins.

— Je ne fume pas et je connais les règlements du camping.

— Vous devriez emmener quelqu'un avec vous, professeur.

— Qui donc ? Vous ?

— Moi, je suis une pauvre larve, mais ma sœur aînée Simone vous rendrait toutes sortes de services. Elle est sportive et s'adapte réellement à toutes les circonstances.

Il se mit à rire :

— Ah ! ah ! vous suivez les consignes de Christiane et vous vous efforcez d'échafauder un mariage pour la fin de septembre ou le début d'octobre. Je n'ai pas besoin de votre Simone, ma chère, et je préférerais me jeter à l'eau avec mon canoë au cou plutôt que d'épouser une femme que je n'aimerais pas. Vous pouvez le dire à Christiane.

— Je n'y manquerai pas, répliqua Lydie, toute confuse.

Après un instant de silence, Jérôme demanda :

— Tenez-vous beaucoup à elle ? Je parle de Christiane.

— Oh, oui, professeur. Nous nous entendons si bien. Nous avons les mêmes goûts. Nous sommes de vraies sœurs.

— Tant mieux pour vous et pour elle... Je ne sais pas si je vous reverrai à la rentrée, Lydie.

Mon père désire que je ne donne plus de leçons.
Ne saurez-vous pas vous débrouiller toute seule ?

— Je le saurai, professeur.

— Alors, tout va bien. Soignez-vous et bonne
chance au bac. Au revoir.

Lydie se leva pour l'accompagner. Elle était
vêtue d'une robe de chambre en cretonne aux
dessins multicolores. Jérôme poussa une exclamation.

— Bigre !

— J'ai monté en graine, n'est-ce pas ?

— Crise de croissance. Attention ! Mangez
bien, buvez bien, dormez bien. Et travaillez peu.

Elle allait répondre : « Merci, professeur, »
mais elle dit : « Merci, docteur. » Elle le regarda
descendre l'escalier ; quand il eut disparu, elle
rentra dans sa chambre.

« Qu'est-ce que je pourrais faire pour lui,
pensait-elle. Je donnerais bien dix ans de ma
vie... Vingt ans. Je donnerais bien ma vie pour
la sienne.

XV

Un marin pendant la tempête

Juin passa vite pour Christiane. Elle préparait sa future installation, attribuant le budget
des voyages et des vacances à l'achat de ses premiers meubles. Elle ignorait encore où ceux-ci
seraient transportés. Francis travaillerait dans
un laboratoire plusieurs années avant de prendre une clientèle. Il ne se gênait pas pour dire :

— J'aimerais assez la campagne. Si le vieux
Milan voulait me céder sa place, je lui en serais
bien obligé.

Christiane se récriait :

— Mais, mon chéri, le docteur Milan est encore très robuste et valide. Croyez qu'il ne
pense pas à désigner un successeur.

Mme Laurier avait choisi des étoffes soyeuses
que sa nièce taillait, assemblait, cousait, bro-
dait du matin au soir. De temps à autre Chris-

tiane s'interrompait pour donner une leçon de solfège ou de piano. Elle allait et venait dans une agitation étrange. Elle devenait blême au moindre bruit. Un pas dans la cour la faisait tressaillir. Ce qui semblait le plus extraordinaire à la tante, c'est que la jeune fille faisait d'incessants efforts pour rencontrer Jérôme. Elle s'attardait sur la route du jardin à l'heure où il se rendait habituellement au kiosque ; elle cherchait prétexte à une visite chez le docteur.

— Veux-tu que je porte à madame Milan cette revue dont tu lui as parlé ? proposait-elle à madame Laurier.

Celle-ci finit par observer :

— Ma chérie, je ne te comprends pas. Madame Milan ne doit pas souhaiter te voir. Et son fils encore moins.

— Madame Milan me reçoit toujours avec la même amabilité. Quant à Jérôme, il me fuit comme la peste. Il n'y a donc aucune chance pour que nous échangions des coups de couteau.

Jérôme avait beau éviter soigneusement Christiane, il lui arriva de se trouver plusieurs fois en sa présence. Elle l'adjura de l'écouter :

— J'ai quelque chose à te dire, Jérôme. Ne veux-tu pas m'entendre une minute ?

Jérôme répondit brutalement :

— Fiche-moi la paix.

Christiane ne se tint pas pour battue : elle continua de guetter le jeune homme et lorsqu'elle ne l'avait pas aperçu depuis plusieurs jours, elle suppliait sa tante d'aller chez madame Milan afin d'avoir de ses nouvelles.

— Mon enfant, je ne veux rien te refuser, mais j'avoue une fois de plus que ton attitude m'épouvante. Que feras-tu, mariée ?

— Oh ! ma pauvre tante, nous n'y sommes pas. C'est comme si tu disais à un marin pendant la tempête : Que ferez-vous au port ?

Le trente juin, Lydie Meunier arriva chez madame Laurier, après avoir passé avec succès le baccalauréat. Elle s'installa dans une petite chambre voisine de celle de Christiane. Le soir les deux jeunes filles bavardaient interminablement. Le matin, Lydie dormait jusqu'à onze heures. La pauvre larve devenait un splendide papillon blond, aux yeux couleur de ciel, aux longs cheveux bouclés.

— Vous devriez rendre visite à votre ancien professeur, conseilla Christiane.

— Venez avec moi.

— Non, il ne me recevrait pas.

— Alors, présentez-moi à sa mère.

Elles choisirent un jour où Jérôme était à Paris pour sonner à la porte du docteur. Madame Milan leur fit un si bon accueil que Lydie revint souvent la voir. La jeune fille ne tarda pas à comprendre pourquoi tout le monde aimait une personne qui avait deux bontés, selon le mot de Christiane, celle du cœur, celle de l'intelligence.

Cependant le vieux docteur répétait inlassablement à son fils :

— Rassemble-toi. Concentre-toi. Respire bien. Fais de la culture physique. Ne te dope pas.

Au commencement du mois d'août, Paul Milan dit à sa femme :

— Je suppose que le livre de Jérôme avance... Qu'en penses-tu ? Le canoë sera livré bientôt, mais je ne voudrais pas interrompre le travail de ce garçon. Tâche de savoir où il en est.

Madame Milan eut soudain l'air inquiet, malheureux.

— Que se passe-t-il, Henriette ? Serais-tu souffrante ?

— Non, mon ami. Je vais aussi bien que possible.

— Alors ?

Elle baissa la tête. Il reprit en riant :

— Ah ! je devine. Tu crains que ton philosophe ne fasse naufrage dans l'étang de Lascaux. Rassure-toi. Il ne sera pas le seul à suivre le chemin des mouettes. Si tu veux, nous louerons une voiture, nous l'escorterons à distance.

— Quelle bonne idée, répliqua madame Milan.

— Bien entendu, ma chérie, j'impose une condition. Que ta santé se raffermisse. Tu dois continuer à prendre de grandes précautions.

— Sois tranquille sur ce point, mon ami. Je

te promets de ne plus te donner d'inquiétude.

Il partit satisfait, après une dernière recommandation :

— Informe-toi de la marche des travaux, Henriette. Et n'oublie pas que tu as donné le jour à un homme de génie.

Madame Milan regagna sa chambre. Sa figure avait repris une expression de souci et de tristesse. Elle commença de ranger des armoires : il fallait mettre les lainages dans des housses, à l'abri des mites, jusqu'à ce terrible mois d'octobre.

Elle brossait avec soin le manteau de son fils lorsque celui-ci survint. Il sifflotait.

— Sale temps, dit-il. Encore de la pluie.

— Je crois que le baromètre remonte un peu, mon enfant. La météo annonce une meilleure période.

— Où en est le canoë ?

Elle posa la brosse et regarda son fils d'un air ravi :

— Il est prêt, mon chéri. Ton père doit écrire à la fabrique aujourd'hui. Il désire savoir si ton voyage peut être entrepris bientôt.

— A l'instant même.

Elle eut une faible exclamation où la crainte et l'espoir se mêlaient.

— Cela n'interrompra pas... tes écrits. Veux-tu dire que tout est au point... Terminé ?

Il leva la main comme s'il prêtait serment :

— Pour sauver ma vie, mère, je ne pourrais pas écrire une ligne de plus.

Elle répéta en écho étouffé :

— Pas une ligne de plus... C'est-à-dire ?

Il articula avec impatience :

— Rien de nouveau depuis ta lecture du printemps.

Henriette Milan s'assit sur une chaise et resta plusieurs minutes sans parler. Jérôme s'expliqua :

— Oui, je te le répète. Pas une ligne de plus. Essaye de comprendre. Je suis au point mort. Ma machine s'est arrêtée en rase campagne.

Ce fut d'une voix altérée que madame Milan dit enfin :

— Quand penses-tu reprendre ton étude ?

Jérôme eut un rire amer. Il s'efforçait de définir à sa mère l'élaboration d'un livre. Certaines œuvres étaient vouées à l'échec, faute de circonstances favorables, comme certains fruits avortaient, les années sans soleil.

Il redit avec tant de désespoir : « Me comprends-tu, mère ? » qu'elle dissimula son angoisse et l'encouragea :

— Mais oui, mon chéri, il faut tenir compte de l'inspiration. De mon temps, on disait : Les Muses... La Muse...

Il eut un éclat de rire strident et la regarda avec une tendre ironie. Elle reprit d'un ton doux et ferme :

— Il ne faut rien forcer... Rien hâter... Tu parles d'arbre et de fruit : dans la nature tout se fait lentement. Tu sais mieux que moi la beauté de ce mot : accomplissement, n'est-ce pas ? Pense au grain de blé.

Ce dernier mot plongea le jeune homme dans une profonde rêverie. Il voyait l'immense solitude des terres labourées dans le silence de l'hiver. Cette comparaison si ancienne du grain de blé redevenait tout à coup tellement neuve à ses yeux, elle éclatait comme une lumière si vivante qu'il sourit avec bonheur :

— Oui, dit-il, c'est juste. Mère, tu comprends tout et je sais que tu ne me blâmes pas.

Elle reprit avec plus d'élan :

— Et n'oublie pas, mon enfant chéri, qu'une année ne manque jamais complètement de soleil. Après la pluie, le beau temps. Ce proverbe est banal, mais vrai.

Jérôme ne répondit pas. Elle insista :

— Que penses-tu faire, aujourd'hui ? Tu devrais te distraire un peu.

— J'avais envie d'aller voir les Vinci, au Louvre, mais finalement, j'aime autant rester dans mon bled.

— Les Vinci ? Quelle bonne idée. C'est peut-être même une inspiration. Je te conseille de la suivre, mon petit.

Il comprit que sa mère tenait à l'éloigner de la maison ce jour-là et il savait que personne au monde n'avait comme elle l'intuition de ce qui lui était utile. Jetant un regard sur sa montre, il dit :

— Tu as raison. J'ai le temps. Je file !

A midi, comme le docteur voyait sur la nappe deux seuls couverts, il réclama :

— Jérôme ne déjeune pas ici ?

— Non, mon ami, il est à Paris.

Elle posa sur la table un plat de hors d'œuvre décoré avec un soin raffiné.

— Très joli, remarqua-t-il. Et je crois que ce sera encore meilleur au goût qu'à la vue.

Il commença de manger en racontant ses visites de la matinée. Elle l'écoutait, l'interrogeait, faisait rebondir la conversation afin de retarder le plus possible la question brûlante.

— Et le petit des Verdys ? Est-ce vraiment la scarlatine ?

— Aucun doute.

— Pas de complications. Pas d'albumine ?

— Jusqu'à présent tout va bien. J'ai pu faire comprendre à la mère combien le régime était important. Elle a suivi mes prescriptions.

Il versa du vin dans son verre et but lentement. Mme Milan servit le rôti.

— Je crains qu'il ne soit trop cuit.

— Non. Il est excellent, Henriette. Tout ce que tu fais est bien. Tu étais digne d'avoir pour fils...

Il s'interrompit. A son tour, Henriette buvait, elle s'étrangla, toussa :

— Tu bois trop vite, ma chérie, observa le docteur. Il me semble que tu deviens nerveuse, toi qui as toujours été si calme.

Elle mangea une bouchée de pain, avec effort. Elle paraissait tout à fait dépourvue d'appétit.

— Et alors, dit le docteur, est-ce que le chef-d'œuvre avance ?

Henriette Milan hocha la tête sans répondre. Il la regarda d'un air soudain méfiant :

— Je parle du livre de ton fils, mon amie.

Elle répondit tristement :

— Il est en panne.

Le docteur Milan sursauta :

— En panne ! Depuis quand ?

— Depuis trois mois.

Il eut un long silence, puis il cria :

— Comment ? Trois mois ! Il n'a rien fait pendant trois mois ?

— Mon ami, sois compréhensif, sois indulgent. Ce genre d'œuvre ne se rédige pas comme un reportage. Il faut une maturation lente.

Le rire du docteur éclata comme un coup de trompette.

— Le flemmard ! Je me doutais que cela finirait en eau de boudin. Eh bien, tu peux lui dire de ma part qu'il ne l'aura pas, son canoë. Je vais le décommander tout de suite. Et je lui donne huit jours pour réfléchir. S'il ne se remet pas au travail sérieusement la semaine prochaine, je lui imposerai des besognes qui n'auront rien de transcendant. Je savais bien qu'il serait un raté, un fruit sec. Tiens ! je suis tout à fait de l'avis du type de Paris...

— Le fiancé de Christiane ?

— Fiancé ou non, je m'en moque. L'étudiant en médecine, le gars qui arrive toujours le premier aux concours, aux examens. Il paraît qu'il a dit de Jérôme : « C'est le genre d'homme à chercher des edelweiss dans la montagne. » Belle définition, n'est-ce pas. J'aurais dû le laisser filer au Chimborazo ou à l'Everest.

Madame Milan plaida la cause de son fils. Pouvait-on parler d'échec et de raté, quand il avait déjà écrit quatre-vingt-dix pages essentielles, d'une densité extraordinaire et d'une écriture serrée, minuscule qui donnerait certainement cent quatre-vingt pages d'un autre manuscrit, un livre entier. Oui, ce chapitre ne formait-il pas un tout, une œuvre ?

Le docteur finit par s'apaiser. Au dessert, il gronda :

— Je veux bien montrer de l'indulgence, ma chérie. Que Jérôme me remette son manuscrit. Je le ferai imprimer tel quel, à mes frais. Cela l'encouragera. Et je suis sûr que le bouquin provoquera des réactions intéressantes.

C'était jour de consultation. Les gens venaient du fond des campagnes interroger le vieux doc-

teur. Carrioles, motos, voitures de toutes sortes
s'arrêtaient devant la maison. Jusqu'à la nuit
tombante, Mme Milan ouvrait et refermait la
porte aux visiteurs. Elle se réfugiait dans la
cuisine où les voix criardes ne pouvaient lui
parvenir. Mais parfois elle entendait pourtant
une femme réclamer :

— J'peux t-il lui donner à manger ce qui
lui plaît à ce pauv'gosse ?

Ou encore :

— Et le pauvre homme, est-ce qu'il va bientôt
se lever ?

Le soir, à son retour tardif, Jérôme déclara
à sa mère :

— Je suis fourbu. Et je vois que la consultation n'est pas finie.

— Pas encore. Veux-tu dîner ?

— Non. merci. Je suis fourbu simplement.
Je n'ai pas faim.

Les Vinci ne lui avaient donné aucune joie,
aucun enseignement. Ils étaient comme tout ce
qui se présentait à lui : muets, sombres, et couverts d'un voile d'ennui.

Madame Milan se reprochait d'avoir été mauvaise conseillère. A présent elle se souvenait de
ces jeudis, de ces dimanches où son fils lui
disait : Je vais voir les Vinci avec Christiane.
Je vais voir les Rembrandt avec Christiane...
Nous avons décidé, Christiane et moi, d'aller

ensemble à Amsterdam contempler la Ronde de Nuit.

— Nous avons tous nos moments de lassitude, observa-t-elle.

Il ne répondit pas. Tandis qu'il buvait une tasse de thé, elle révéla sa conversation avec le docteur à l'heure du déjeuner. Il l'écouta d'un air intéressé. Avant d'évoquer les projets de représailles, elle fit part de la proposition bienveillante : l'édition du manuscrit aux frais des parents de l'auteur.

Jérôme se récria violemment :

— Jamais de la vie. On ne publiera pas cette première partie. Pas la maison sans le toit, la femme sans le chapeau, la reine sans la couronne... Ma Reine, la Sagesse.

Elle soupira :

— Tu es bien un peu fou, mon chéri. Ecoute-moi. Ton père a dit : On peut l'imprimer sur beau papier, à tirage restreint.

— Il me fait rire avec son beau papier. Tu lui diras que je m'en moque éperdument et que je préfère balayer les rues plutôt que d'écrire une ligne sur commande. Voilà.

A partir de ce jour les relations entre père et fils redevinrent ce qu'elles étaient naguère : ironie agressive et mépris d'un côté, indifférence et passivité de l'autre. Les mensualités pour les achats de livres furent supprimées et les visites aux malades, les courses épuisantes à bicyclette recommencèrent. Tous les projets de vacances s'évanouissaient. Jérôme ne se plaignait jamais. Il avait dit à sa mère qu'il pouvait descendre rivières et fleuves dans un véhicule plus rapide que tous les canoës du monde. Il n'avait pas besoin d'argent pour voyager.

Mme Milan jugeait insolite l'absence prolongée de Francis Valleray. Elle apprit que le jeune homme faisait un remplacement à l'hôpital jusqu'au seize août.

— Un travail pénible, disait Christiane, puisqu'il soigne des aliénés. Je le plains. Il me tarde de le revoir.

Elle aimait à entendre l'éloge de son fiancé par les habitants du bourg.

« C'est un bon vivant. Il plaît. Il a la main heureuse », disaient ceux-ci.

Madame Laurier grondait :

— Qu'est-ce que la main heureuse, mon enfant ? Donne-moi un exemple ?

— Tourner le bouton de la T.S.F. et capter une sonate de Mozart.

La jeune fille essayait de nouvelles robes, elle se promenait avec Lydie, riait et s'assombrissait tout à coup. Sa vie ressemblait à ces mélodies où une phrase divine s'élève puis se tait. Le silence qui succédait aux heures d'enthousiasme était aussi plein de larmes que cette nuit de Noël où elle avait lancé à Jérôme une balle de musique. Puis elle redevenait follement heureuse.

Chaque matin, à la même heure, elle s'enfermait dans la cabine téléphonique, au bureau de poste, et elle avait avec Paris une conversation interminable. Parfois Lydie l'accompagnait, elle l'attendait, dehors, assise sur un banc. Christiane la présentait à ses amies.

— Vous ne connaissez pas Aline Millet ? On la dit sorcière parce qu'elle est un peu bizarre. C'est une brave femme. Nous irons la voir. Elle vous fera bon accueil.

Ce jour-là, après déjeuner, les deux jeunes filles se mirent en route. Elles s'arrêtèrent quelques minutes au bord d'un étang. Il y avait un nuage d'insectes, comme une gaze, au-dessus de l'eau et un vieil arbre courbé qui paraissait brisé.

— C'est ici ! dit Christiane. Venez !

Un oiseau à long bec sortit des feuillages. Au bruit des ailes, dans ce silence, Lydie eut peur et le pain qu'elle portait à la vieille femme se coupa en deux.

Aline Millet avait aperçu les visiteuses. Elle les attendait sur le seuil. Christiane lui donna du chocolat et des gâteaux ; Lydie, du pain et des pêches. Pour les remercier, Aline leur parla des planètes et des soleils.

— Les étoiles courent les unes après les autres. Elles ne s'arrêtent pas, même quand elles ont l'air si calmes dans le ciel. Les âmes des hommes et des femmes sont attirées, elles aussi, mais elles ne sont brillantes que d'un côté, à cause des corps. S'il n'y avait pas les corps, les vrais amoureux se reconnaîtraient plus vite et ils s'aimeraient à la perfection.

Il semblait que la vie de la vieille femme s'écoulât dans le jardin. Elle posa les provisions sur une pierre moussue et conduisit Christiane et Lydie vers une vieille cage à porte ouverte où se tenait un lapin blanc comme la neige. Elle se pencha sur un tonneau plein d'eau recouverte de folioles vertes en fin tissu qui se gonflait parfois aux soubresauts d'une reinette. Par terre des pots de fleurs renversés, des vieilles casseroles qui servaient d'arrosoirs ; des abris, des niches, des repaires pour des bêtes de toutes sortes. Aline ramassait les nids arrachés par le vent et les rafistolait comme eût fait un oiseau lui-même. Dans tout le domaine c'était un chant ininterrompu.

— Vous croyez que je suis malheureuse, dit la vieille femme. Je suis plus heureuse que les hommes qui vivent dans les palais.

Elles entrèrent dans la cabane meublée d'une table vermoulue, d'un seul escabeau, d'un lit recouvert d'une étoffe bleue. Sur la cheminée, un livre de prières, un Christ et deux petites bougies.

— J'ai eu au printemps une grande joie, reprit Aline Millet. Je croyais que le merle de l'année dernière était mort. Je ne retrouvais pas sa voix parmi les autres. La petite chanson que j'entendais était très jolie, mais je me disais : « Ce n'est pas lui. Ce n'est pas le mien. » Et figurez-vous, après avoir chanté toute une journée, un beau soir, il s'est arrêté, puis il a lancé les six petites notes de l'autre printemps. Alors je l'ai reconnu, je lui ai dit : « Tu as donc deux chansons à présent, mon petit. Deux chansons qui feraient la fortune d'un musicien. » Vous savez cela, mademoiselle Christiane, avec six notes ils font une musique merveilleuse qui dure des heures, mais il s'agit de trouver les six notes. Qui les souffle à l'oiseau ?

Christiane pensait à Jérôme et ne répondait rien. La vieille se tourna vers Lydie. Elle prit une feuille de rosier.

— Si vous pensez à un homme, une seule fois par jour, votre âme prendra un pli et vous ne pourrez plus l'effacer.

Lydie devint rouge comme une fraise. Aline dit à Christiane :

— J'ai reçu la visite du fils du docteur. Il me porte le journal pour me distraire. Il me dit : « Voyez comme la terre tourne. » Cela m'épouvante. Je lis des crimes à faire dresser les cheveux. Et on ose écrire cela... Je sais que vous voici fiancée avec le jeune homme de Paris. Vous qui êtes musicienne, comprenez bien ce que je vais vous dire. **Ce gars**-là, c'est comme une trompette, il fera **plus de bruit** que les autres et au milieu du **bruit, du bon** travail. Mais le fils du docteur, **c'est comme un** hautbois... Tout le monde fera silence pour mieux l'écouter.

Christiane rougit à son tour. Elle saisit la main de Lydie :

— Il nous faut partir, Aline, dit-elle. Il est tard. Nous reviendrons un autre jour.

XVI

Le cadeau des deux jeunes filles

La veille du quinze août, Lydie se présenta chez Mme Milan, après le départ du docteur. Jérôme était seul auprès de sa mère. Il accueillit la jeune fille dans la salle d'attente et il dit froidement : .

— Vous avez bonne mine. Vous paraissez en parfaite santé...

— Oui, professeur, je vais très bien et je vous apporte un cadeau.

Il la regarda avec stupeur. Elle reprit :

— Christiane et moi, nous avons préparé ceci pour vous... Cela vous servira au camping... Ne partez-vous pas ce soir ?

« Ceci » était un sac de camping à plusieurs poches, en toile brune, brodé d'initiales rouges.

Après un long silence, Jérôme sourit ; il déclara :

— Figurez-vous, ma chère enfant, qu'il n'y aura pas de canoë, ni de canoteur. Gardez donc votre sac pour un gars plus chanceux. Oui, pas plus de canoë que de chien vert, comme disait jadis une de mes grand'tantes... Je me souviens que parfois, à son retour de Paris, lorsque je lui demandais : « Qu'est-ce que tu m'apportes ? » elle me répondait : « Un petit rien du tout bordé de jaune. » Il lui arrivait de varier les couleurs et l'imagination de l'enfance est si vive que, malgré ma déception, je me sentais moins lésé lorsqu'elle disait : « Un petit rien du tout bordé de rose », car je n'aimais pas le jaune, et je m'en allais bouder en essayant de donner une forme à ce rien et à m'en contenter. Je fabriquais tantôt une sorte d'œuf de Pâques à bordure de sucre givré, tantôt un petit jouet, une bille imaginaire. Il faut savoir s'accommoder de la vie. Maintenant je suis rompu à cet art.

Il avait posé le sac sur la table devant Lydie atterrée. Elle l'écoutait avec une si grande déconvenue que finalement elle eut les larmes aux yeux.

— Je suis très touché de votre gentillesse, dit Jérôme. Votre bonne intention me fait grand plaisir. Vous ne me croyez pas ?

— Oh, non, professeur.

— Voulez-vous que je vous le prouve ? Eh bien, je ferai pour vous ce que je n'ai jamais fait pour personne, Lydie. Je vais vous montrer mon jardin et mon kiosque.

Elle joignit les mains :

— Est-ce vraiment possible ?

— Vous allez voir si c'est possible.

Il fouilla dans ses poches :

— J'ai la clef. Venez tout de suite, Lydie.

Il la conduisit dans le chemin de la Loire, marchant très vite et parlant peu. De temps à autre une mouette jetait un cri sauvage au-dessus de leurs têtes. Au loin les deux notes douces du coucou avaient l'air d'enfermer comme une parenthèse un mot mystérieux. Lydie essayait de comprendre la joie des oiseaux. Elle croyait entendre ces paroles :

— Je suis dans un petit nid que j'ai volé, que j'aime beaucoup.

Jérôme s'arrêta soudain :

— Voyez, dit-il en ouvrant la porte, le rosier grimpe sur la boîte aux lettres. Tenez : ce petit guichet me permet de voir qui frappe au vantail et de n'ouvrir qu'à l'ange Gabriel.

Muette, de plus en plus surprise, Lydie le suivait en retenant son souffle. Mais lorsqu'elle entra dans le kiosque, elle s'exclama :

— C'est merveilleux.

Il n'y avait aux murs que des miroirs habilement enchâssés où jouait le soleil. Les livres formaient un tapis et l'on devait les enjamber

au moyen d'une passerelle faite de dictionnaires
et d'in-folios.

Sur la table, rien qui indiquât le travail. Pas
de papier, ni de crayon à bille, ni de stylo, ni
d'encre. Une rose dans un vase en opaline blanche qui paraissait brûler comme une lampe.

— Asseyez-vous, dit Jérôme en donnant à
Lydie l'unique fauteuil réservé d'habitude à
madame Milan.

La jeune fille restait debout, en équilibre
instable, sur un Codex à reliure de cuir rouge.

— Vous n'écrivez plus ? demanda-t-elle ti-
midement.

— Non. Je ne sais pas ce qui m'est arrivé.
Mon âme s'est envolée. Elle ne peut retomber
sur la terre. Elle erre sans trouver de place
dans aucun monde.

Lydie soupira. Que pouvait-elle dire ? Elle
cherchait vainement des paroles consolantes et
encourageantes ; elle avait peur d'éveiller le rire
ou la colère de Jérôme.

Ils revinrent au village sans parler, mais le
jeune homme s'arrêta chez Aline Millet pour
lui donner le journal.

La vieille femme vit tout de suite la mauvaise nouvelle :

OUVERTURE DE LA CHASSE
LE QUATRE SEPTEMBRE

Elle lut à voix haute et indignée :

« La chasse à tir de la caille et des colombidés est ouverte le 16 août dans la première zone. La chasse à tir du faisan et du lièvre est ouverte le 25 septembre dans la deuxième zone. » Ah ! voilà du malheur en perspective.

Jérôme se mit à rire :

— Voilà du travail pour mon père, mais rassurez-vous, il y a des réserves à cette tuerie et vos meilleurs amis sont à l'abri.

Il prit le journal et lut à son tour :

« Est prohibée toute l'année la chasse aux poules de bruyère, grands et petit tétras, pintades sauvages, flamants, ibis, cygnes sauvages, gypaètes, mouettes et goelands, hirondelles de mer. »

— Les bandits ! soupira la vieille femme. Ils défendent la chasse aux ibis et aux flamants. Pourquoi pas aux chiens volants et aux nuages ?

Jérôme, laissa Lydie en compagnie d'Aline Millet. Il rentra chez lui. Comme d'habitude Aline prononçait des paroles incohérentes.

— Si jamais vous êtes attaquée par un ours, faites la morte. L'animal a peur des cadavres... Pourquoi riez-vous ? Venez avec moi. Je prépare un remède contre les brûlures. A votre âge, vous avez beaucoup à apprendre.

Elle ouvrit un petit cahier aux pages retenues par un ruban fané.

— Lisez ! dit-elle à la jeune fille.

Lydie déchiffra une grande écriture frêle et pointue à l'encre violette à demi effacée :

« Le millepertuis doit infuser dans l'eau-de-vie pour les plaies vives, et dans l'huile pour les brûlures et les plaies à humeur. Plus longtemps il infuse et meilleur il est. Cela se conserve plusieurs années. La fleur de lis infusée dans l'huile d'olive est également un remède souverain et précieux pour les mêmes maux... »

Aline Millet montra de hautes herbes plongées dans un bocal d'eau-de-vie et des fleurs de lis dans un bocal d'huile d'olive.

— J'ai manqué de ce remède, il n'y a pas longtemps, dit-elle, quand mademoiselle Christiane s'est brûlé les deux mains. Il y a les brûlures du corps, mais celles de l'âme sont bien plus difficiles à guérir.

XVII

Les étoiles d'août

Un jeudi, madame Laurier réunit ses amies de Mai-sur-Loire afin de leur présenter le fiancé de sa nièce. Madame Milan accepta l'invitation, mais la seule vue de Christiane la faisait souffrir. Elle se borna à causer avec Lydie dont elle appréciait de plus en plus la discrétion et la délicatesse.

Francis Valleray exultait. Son stage fini, il était libre. A présent, rien ne le séparerait plus de la bien-aimée. Il ne voyait pas comme elle une ombre dressée devant leur bonheur. Pourtant il avait soin d'éviter Jérôme. Mais un soir, sur la petite place de l'église, il eut une brusque rencontre avec le jeune homme.

— Ah ! tiens ! dit-il, comment allez-vous ?

Sans attendre la réponse, il parla de son travail à l'hopital.

— J'étais chez les fous. Ça n'a rien de drôle. C'est plutôt déprimant.

— En effet, dit froidement Jérôme.

— Et vous, que devenez-vous ?

— Moi ? Je reste sur mes positions.

Francis Valleray sourit d'un air ambigu :

— Que voulez-vous dire ? Seriez-vous en guerre avec quelqu'un ?

Jérôme haussa les épaules et s'éloigna. Désormais il détournait la tête lorsqu'il se trouvait sur le chemin de Francis. Il se disait : « Cela évite à l'imbécile d'inutiles grimaces.

Peu à peu les fiancés perdirent toute inquiétude. Ils avaient fait l'échange de leurs agendas où ils effaçaient les jours d'un trait bleu. Christiane répétait avec émerveillement :

— Déjà lundi... déjà samedi...

Il y avait maintenant plus de silence dans les prairies. Presque tous les oiseaux du printemps se taisaient, mais par intervalles, le cri du pinson rappelait que la fête continuait. Au bord de la Loire, Christiane et Francis causaient seuls sous le ciel d'une couleur intense. Un banc d'eau, un banc d'azur, un banc de sable alternaient comme une étoffe à rayures. Le jeune homme ne se lassait pas de contempler sa fiancée et à chaque instant il lui demandait si tout allait bien, si elle était heureuse.

Elle répondait oui. Elle avait ce qu'elle voulait. Un homme fort, une épaule où elle pourrait s'appuyer toute sa vie. La faiblesse de Jérôme, son irrésolution, son cœur d'arc-en-ciel lui semblaient annoncer les pires déboires.

Elle dit tout à coup :

— Lorsque nous étions enfants...

— Nous ?

— Jérôme et moi.

— Ah ! Encore lui.

— Chéri, c'est pour faire une comparaison à votre avantage.

— Alors, chérie, continuez.

— Jérôme était timide, timoré... Quand je lui disais : « Nous allons faire de l'eau de rose, demande du vinaigre à ta mère », il ne répondait pas, il réfléchissait, puis il partait en courant et revenait bien vite me dire : « Elle ne veut pas m'en donner. » Il n'insistait jamais. Il se repliait et attendait que j'arrache à ma tante un flacon de vinaigre. Elle refusait elle aussi, tout d'abord, mais elle finissait par céder, Jérôme était ébahi. Il me disait : « Tu réussiras dans la vie. »

Francis félicita la jeune fille : il fallait qu'elle eût beaucoup de cran pour résister à la contagion du pessimisme. Son pauvre compagnon de jeux pouvait-il lui inoculer autre chose ?

— Vous exagérez un peu, chéri. Nous étions gais comme deux pinsons.

— Vraiment ? Et que faisiez-vous encore ?

— Nous dévorions beaucoup de livres. Dans

une traduction de Shakespeare, j'avait lu : « Mangez de la racine de fougère et vous deviendrez invisible. » J'envoyais Jérôme à la recherche des pieds de fougère et nous en mangions comme deux lapins, si bien que nous avons été malades. Le docteur Milan était furibond.

Francis ne riait plus. Deux pinsons. Deux lapins. Il détestait le chiffre deux lorsqu'il désignait un autre personnage que lui ayant pour partenaire Christiane.

— Un jaloux rétrospectif, certes, voilà ce que que je suis. Continuez votre récit, ma chérie.

Tandis que ma tante faisait mes problèmes, le soir, au sortir de l'école, je m'efforçais de copier un portrait de Mozart. On disait que j'avais un don. Je me récriais : « Si j'étais douée je peindrais n'importe qui et je peux dessiner uniquement la figure de ceux que j'aime, Mozart au clavecin, Beethoven avec ses cheveux en broussaille. Que les autres aillent se faire pendre. » J'ouvrais le dictionnaire pour lire toujours les mêmes mots : « Né à Bonn, petite ville d'Allemagne. Né à Salzbourg, en Autriche. » Etes-vous jaloux de ceux-là, Francis ?

— Non, Christiane, je partage votre amour.

— A votre tour, maintenant, parlez-moi de votre enfance.

— Je bûchais, je travaillais sans compagne de jeux. Comme je regrette de n'avoir pas été petit garçon à Mai-sur-Loire. Je suppose que vous m'auriez donné la préférence et nous aurions expédié votre Jérôme aux cinq cents diables.

La figure de Christiane s'assombrit. Il réclama :

— A quoi pensez-vous, chérie ?

— Ne me quittez pas, Francis. Oh ! dites-moi que vous ne me quitterez jamais, je vous en supplie.

— Ai-je la pensée de vous quitter, ma petite fille. Si l'un de nous se lasse de l'autre, ce ne sera pas moi.

— Ni moi.

— Alors, tout va bien.

Ils s'embrassèrent d'un même élan.

— A mon tour, chérie, de vous faire une prière.

— Dites !

— Ne prononcez plus le nom de Jérôme. Ne me parlez plus de lui et ne pensez plus à lui jamais.

Elle eut un petit rire léger, cristallin.

— Le rire n'est pas une réponse, Christiane.

— Mais si, Francis, cela veut dire : Votre prière est superflue.

— Alors, donnez-moi la main.

Elle lui tendit la main droite qu'il baisa avec ferveur. A présent plus d'ombre entre eux. Ils

se sentaient plus étroitement promis l'un à
l'autre.

— Il est temps de nous baigner, Christiane.
Etes-vous prête ?

Ils plongèrent, nagèrent, s'étendirent sur le
sable, au soleil. Soudain, comme un feu, l'angélus éclatait, enflammait la forêt, se répercu-
tait dans la campagne, mourait au bord de la
Loire pendant que les dernières notes tombaient
sur le bourg. Les vibrations bourdonnaient à
travers les toits, s'éteignaient dans les ruelles et
remplissaient de joie le cœur de Christiane qui
traversait la petite place à côté de Francis.

Les fiancés dînaient, puis ils repartaient pour
une dernière promenade nocturne. Christiane
disait que le ciel était plein de broches, de ba-
gues et de colliers. Toutes les étoiles d'août
arrivaient au port, les plus belles de l'année.

— Il y en a pour tout le monde, chéri. Seriez-
vous heureux si des malheureux vivaient près
de vous.

Francis feignit de ne pas entendre. Il levait
les yeux au ciel. Il annonça :

— Les étoiles de septembre seront plus belles
encore et plus brillantes.

XVIII

Je ne vous demande rien

Le mois d'août avait passé comme un rêve.
C'était le trois septembre. Pendant le dîner,
pour adoucir l'humeur de son père, Jérôme
Milan parla de l'ouverture de la chasse. Il avait
compulsé un manuel de vénerie et apprécié des
conseils comme ceux-ci :

« On peut forcer le lièvre avec quatre bons
chiens ; il est préférable d'en avoir plus. »

— Un seul chien m'a toujours suffi, bougonna
le docteur, mais cette année, tu me remplaceras.
J'ai trop de malades.

Jérôme protesta :

— Grand merci, dit-il d'un ton révolté.

Le docteur Milan feignit de ne pas entendre.
Il poursuivit :

— Nettoie mon fusil, ce soir, et tâche de rap-

- 181

porter du gibier demain. Il y a des amateurs de civet.

— Je croyais que tu ne recommandais pas le gibier à tes malades.

— Il ne s'agit pas de malades, idiot, mais d'affamés qui n'ont rien à se mettre sous la dent. Tu ne sais pas ce que c'est, la faim. Tu l'apprendras peut-être un jour, si tu continues.

Jérôme ne répondit pas. Mme Milan ne pouvait cacher sa surprise. Des affamés, au bourg ? Les habitants de Mai-sur-Loire formaient réellement une famille qui ne laissait sans secours un seul de ses membres.

— Je ne parle pas des gens du bourg, répéta le docteur sur le même ton grincheux.

Il se remit à manger en silence dans une atmosphère d'orage. Pour changer la conversation, la mère observa :

— Quel temps étoufffant ! La météo avait annoncé de la pluie, mais il n'y a pas l'ombre d'un nuage.

Les deux hommes la regardèrent. Elle était plus pâle que de coutume et semblait respirer avec peine.

— Oui, dit Jérôme, il n'y a pas d'air ici. Je vais ouvrir la fenêtre du salon.

Il se leva et tarda à reprendre sa place à table. Derrière le rideau il venait d'apercevoir sur la place, dans une voiture lancée à toute vitesse, la tête brune de Francis, les boucles blondes de Christiane. Le jeune homme tenait sa fiancée par le cou et son volant de la main gauche.

Mme Milan posa sur la table un gâteau de riz aux raisins.

— Je n'apprécie guère les plats sucrés, dit sèchement le docteur.

Elle lui présenta une corbeille de pêches et de prunes. Il la remercia et plia sa serviette.

— Tu pars déjà ?

— Dans cinq minutes.

— Je vais servir le café.

— Rien ne presse. Reste un peu tranquille, ma pauvre femme.

Henriette Milan dit d'un ton inquiet à son fils :

— J'espère que tu aimeras ce gâteau, mon chéri.

— Certainement, mère, répondit Jérôme en feignant un vif appétit.

Alors le docteur annonça d'une voix qui tremblait de colère :

— J'ai rencontré Francis Valleray, ce matin. Il m'a demandé de penser à lui quand je prendrai ma retraite.

Mme Milan eut un sursaut :

— Et pourquoi donc, mon ami ?

— Pour acheter ma clientèle. Il sait bien que je n'ai pas de successeur.

Il rit d'un air plein d'amertume. Mme Milan soupira :

— Ce jeune homme ne manque pas d'aplomb.
Oui, c'est presque de l'impudence. Lui as-tu
fait des offres ?

Le docteur ne répondit pas. Jérôme monta
dans sa chambre, il ouvrit un livre sans pouvoir lire plus d'une page. Son appétit de lecture était coupé. Il voyait les deux figures
rieuses, les deux têtes, la blonde et la brune. Il
lui semblait qu'elles le narguaient.

Mme Milan ne tarda pas à heurter doucement
la porte.

— Chéri, ton père...

Elle s'interrompit. L'air malheureux de son
fils la bouleversa. Elle dit d'une voix timide,
presque imperceptible :

— Qu'est-ce qui ne va pas ?

Il se regimba :

— Mon père ? Que réclame-t-il encore ?

— Le fusil. Il ne faut pas oublier de le
nettoyer, de le graisser. Mon enfant, j'ai préparé le carnier et les cartouches. Cela t'ennuie ?

— Peuh ! Je m'en moque ! Je tuerai le premier lapin venu et mon cher père s'en conten-
tera. Il est vrai que j'aimerais mieux faire
autre chose. J'aime toutes les bêtes de la création et je ne leur nuirai pas de bon gré, tu peux
me croire. Bonsoir, mère, je veux dormir tôt,
ce soir. Je suis fatigué.

— Dors, mon chéri, ne te tracasse pas. Tout

s'arrange dans la vie. Aie confiance, mon petit enfant.

Il baissa un instant les paupières comme s'il voulait cacher des larmes. Lorsque sa mère eut disparu, il descendit sans bruit dans le cabinet médical et choisit parmi les boîtes et les tubes de comprimés, de pilules et de cachets, un grain de somnifère. Jamais il n'avait recours à ces médicaments, mais la journée n'avait-elle pas été exceptionnellement difficile ? A présent il voulait dormir.

Toute la nuit il rêva de Christiane : il la poursuivait ; elle lui échappait. Tantôt elle apparaissait au volant d'une voiture, tantôt à bord d'un canoë ; le premier véhicule dérapait et s'écrasait dans un fossé ; la barque coulait à pic.

Le lendemain matin, à son réveil, il fut surpris de voir une brume légère dans la campagne. Il avait oublié de fermer les volets. La saison changeait. Il se leva, déjeuna, prit le fusil sans le nettoyer en pensant que son père était un simple maniaque.

Il se dirigea vers l'étang, il tirerait une poule d'eau, l'exploit suffirait. Dans son carnier il avait glissé un livre de poèmes. Il sifflotait en marchant vite, sans regarder à droite ni à gauche. A cette heure matinale beaucoup de gens dormaient encore.

Il passa devant la cabane de la mère Millet.

Des œillets sauvages couleur de pourpre s'ou-
vraient au bord du sentier : il se pencha pour
en cueillir un qu'il enferma dans le recueil de
poèmes.

L'étang était presque aussi beau les jour de
brouillards que les jours enseileillés. Les roseaux apparaissaient comme des lances parmi
les grandes herbes vertes, argentées de pluie.
Le ciel s'était retiré de l'eau qui dormait comme un corps sans âme.

Jérôme chargea son fusil et le posa à côté
de lui. Il se coucha à plat-ventre sur la rive.
Peu à peu une paix indicible pénétrait dans
son cœur. Il oubliait ses regrets, son chagrin.
Rien ne l'atteignait plus. Il entrait dans son domaine secret. Personne ne pouvait le suivre.

Un battement d'ailes, un plongeon ne le firent
même pas tressaillir. Il vit la petite tête marquée de neige, le bec de la poule d'eau. Il murmura entre ses dents :

— S'il n'y a que moi pour te tuer, tu mourras
de ta belle mort.

Et il referma les paupières. Des insectes
commençaient à bourdonner. Une libellule siffla
à ses oreilles. Entr'ouvrant les yeux, il vit un
éclair bleu et vert, des ailes dorées miroitantes.

— Je passerai la journée dehors, avait-il dit à
son père.

Il ne désirait pas du tout rentrer chez lui.
Les heures coulaient vite. Comme l'angélus de

midi traversait la campagne, Jérôme s'étira :

— Allons, mon vieux, se dit-il, il faut avoir au moins l'air de chasser. Change de place.

Sans hâte il gagna le chemin de la Loire bordé de mûriers couverts de fruits. A peine avait-il fait dix pas qu'il aperçut Francis Valleray assis sous un chêne et gobant des mûres. Sans doute attendait-il sa fiancée. L'apparition de Jérôme le déçut visiblement. Il se leva et ricana :

— Tiens ! Vous chassez ! Avez-vous pris quelque chose ?

— Je ne suis pas pressé, dit Jérôme sur le même ton gouailleur. J'ai l'éternité pour moi.

— Vous avez de la chance. Mais peut-être renoncez-vous à la vie ?

Jérôme ne répondit pas. Il ne savait comment prendre congé de Francis qui marchait à côté de lui sans gêne. Tout à coup, il se souvint de la proposition faite la veille au docteur par cet insolent et il sentit la colère lui monter à la tête.

— Renoncer, gronda-t-il, vous voulez dire : laisser ma place en toute occasion.

— Votre place ? reprit Francis en riant cette fois à gorge déployée. Quelle place ?

Jérôme s'arrêta net. Il considéra une minute Francis qui riait toujours. Ce dernier proposa :

— Voulez-vous un conseil ?

— Je ne vous demande rien.

— Si j'étais vous... je tâcherais de décrocher un petit diplôme quelconque, par exemple un certificat d'aptitude à la profession d'herboriste...

Le rire de Francis s'éteignit. Il reçut un coup de poing en pleine figure et ne riposta pas. La douleur qui éclatait dans le regard de Jérôme le glaça :

— J'ai peur des fous, dit-il. C'est ce que je redoute le plus au monde. Je les connais trop...

Et il se mit à courir en répétant :

— J'ai peur des fous.

A ces mots, Jérôme perdit complètement la tête. Il tira. Francis s'abattit sur le talus. Jérôme s'enfuit à son tour. Il reprit le chemin de l'étang, passa devant la cabane de la mère Millet qui desherbait un carré d'oignons.

— Où allez-vous donc si vite, mon fils ?

Il bondit à travers la prairie, brisa des roseaux sur son passage, gagna son jardin et s'enferma dans le kiosque.

A présent il était extraordinairement lucide, et comme dégrisé, délivré de sa passion, réveillé, rajeuni, et dans un désespoir absolu.

Voilà donc l'aboutissement de ses rêves et de son idéal, ses sommets, ses glaciers, ses croisades, son amour pur, ses découvertes sur le temps et l'espace :

— Oh ! quel imbécile j'ai été.

Il devenait tout à coup vraiment compréhensif, mais trop tard. Il n'avait plus à se servir de son intelligence. Sa vie était achevée.

La prison... Les avocats... Les juges... Le verdict... L'échafaud.

Il pensa :

— Ma pauvre mère ! Ah ! si j'avais su...

Cependant Christiane et Lydie se dirigeaient en bavardant vers le vieux chêne où Francis leur avait donné rendez-vous.

— Tiens ! dit Christiane, il nous a fait faux bond. Où peut-il être ?

— Allons un peu plus loin, proposa Lydie. Il a dû poursuivre une libellule.

Elles reprirent leur marche sans inquiétude. Christiane parlait de la mode d'automne et du manteau qu'elle emporterait en voyage de noces.

— Vous connaissez, Lydie, ce lainage pelucheux appelé oreille d'ours ?

— Très confortable. Quelle couleur avez-vous choisie ?

— Bleu ardoise.

Lydie approuva d'un signe. Elle attendait toujours de nouvelles inventions des tisseurs, et Christiane avait reçu des échantillons des derniers nylons, du nylon bouillonnant et de l'orion.

Lydie reprit :

— L'orion, voilà ce que j'aime. Mélangé avec de la soie, cela donne un satin d'une douceur inouïe.

Elle s'arrêta net :

— Tenez ! Christiane, le voici, ce paresseux. Il dort au lieu de venir nous baiser les pieds et les mains.

Elle désignait Francis Valleray étendu au bord de la route. Christiane se précipita vers lui en gémissant :

— Oh ! mon chéri, vous êtes souffrant ? Que vous arrive-t-il ?

Et tout de suite, elle cria :

— Il est blessé !

Lydie se pencha sur le jeune homme ; elle appela :

— Francis ! Francis !

Il ouvrit les yeux et s'appuya sur le coude gauche ; son bras droit paraissait inerte et du sang apparaissait sur la chemise, à l'épaule.

— Qui vous a blessé, mon chéri, répondez-moi ? supplia Christiane.

— Le crétin que vous savez, parbleu. Jérôme Milan ! Il m'a lancé un grain de son vieux plomb dans l'épaule.

Il se redressa et s'assit. Christiane lui tendit les deux mains en répétant, abasourdie :

— Jérôme ? Du plomb dans l'épaule ?

— Je l'ai rencontré sur le chemin de l'étang et nous avons échangé quelques plaisanteries. Il ne m'a pas tué, mais j'ai fait le mort. Je sais m'y prendre avec les fous.

De plus en plus stupéfaite, Christiane redit en écho :

— Avec les fous !

— A présent, reprit Francis, j'attends le passage d'un gendarme quelconque pour porter plainte. Il faut mettre mon agresseur sous les verrous au plus tôt. C'est un type dangereux.

Christiane avait enfin compris ; elle pleurait. Elle dit tout bas :

— Votre blessure est-elle grave, Francis ? Pouvez-vous essayer de marcher ?

— Bien sûr. Je peux très bien me tenir debout. Je n'aurais pas besoin d'intervention, ni de transfusion, mon amour. Un pansement, et demain, il n'y paraîtra plus...

Il se tâta l'épaule et répéta :

— Ce n'est rien, chérie, séchez vos larmes.

Lydie se tenait à l'écart, pâle et silencieuse. Christiane lui lança un regard de détresse, comme si elle attendait du secours :

— Que puis-je faire, Christiane ? demanda Lydie.

Ce fut Francis Valleray qui répondit :

— Courez vite appeler la police. L'occasion est bonne. C'est le moment de nous débarrasser de l'animal.

Lydie le considéra d'un air sévère ; Christiane se pencha vers lui et dit tout bas :

— Vous avez poussé Jérôme à bout, Francis. Je vous connais. Vous ne le dénoncerez pas, mon ami. Vous vous tairez... Sinon, tout sera fini entre nous... à jamais.

Le jeune homme était trop saisi pour riposter. Christiane se tourna vers Lydie et reprit du même ton où la prière et la menace se mêlaient :

— Vous aussi, vous saurez vous taire, Lydie, n'est-ce pas ?

— Certainement. Comptez sur moi, Christiane.

— A présent, Francis, reprit Christiane, levez-vous, je vous ferai un pansement à la maison. Venez !

— A vos ordres ! ma chérie, répliqua-t-il d'un air penaud. Je vous crois bon médecin. Je me sens tellement mieux depuis que vous êtes près de moi.

Il se mit debout sans difficulté, mais tout à coup, Christiane se ravisa :

— Je vais chercher votre voiture, dit-elle. Personne ne doit voir ce sang sur votre épaule... Attendez-moi. Lydie restera près de vous.

Seul avec Lydie, Francis observa :

— Cela m'aurait pourtant fait un rude plaisir.

— Quoi donc ?

— De voir Jérôme en prison.

— Vous ne l'auriez peut-être pas vu en prison, Francis, mais sans doute auriez-vous vu les bonnes gens de Mai-sur-Loire vous jeter des pierres.

— Ah ! Lydie, expliquez-vous ?

— Jérôme est très aimé, reprit-elle avec fierté comme s'il s'agissait de son fils, et vous êtes encore inconnu ici.

Christiane survenait dans la voiture de son fiancé. Elle garda le volant ; Francis prit place à côté d'elle. Lydie préférait revenir à pied au village.

— Entrons sans bruit à la maison, dit Christiane à Francis. J'attendrai quelques instants pour avertir ma tante. Elle est tellement impressionnable.

Mme Laurier faillit s'évanouir à la vue de la chemise ensanglantée. Francis avait beau rire de toutes ses forces, elle le croyait tout près de la mort. Elle s'empressa d'appeler le docteur Milan auprès du jeune homme.

— Une blessure ? Une balle de plomb ? Comment cela vous est-il arrivé ? gronda le vieillard.

Francis fit une réponse évasive, tandis que Christiane s'embrouillait dans un récit peu vraisemblable. Elle venait de trouver un vieux fusil au grenier. Francis l'avait essayé. Il ne savait pas qu'il était chargé.

— Qu'est-ce que cette histoire ? Ne lui a-t-on pas tiré dans le dos ? Est-il capable de cette performance ? Et la balle ? Où est-elle ?

— Je la garde en souvenir, dit Francis.

— Et le fusil ?

— Je l'ai jeté dans le puits, dit Christiane.

— Ah ! vraiment, c'est la mode de jeter les fusils dans les puits, mes enfants. Racontez vos sornettes à qui vous voudrez, je m'en lave les mains. Mais je vais vous donner une lettre pour un confrère d'Orléans, un radiologue. Vous êtes du métier, Valleray. Vous jugerez prudent comme moi-même de prendre un cliché.

Christiane protesta farouchement :

— Pas de cliché, non, je m'y oppose. C'est inutile et nous ne voulons pas nous couvrir de ridicule en propageant notre exploit.

— De quoi vous mêlez-vous, pécore, gronda le docteur avec indignation. Occupez-vous de vos gammes et de vos broderies. Laissez les médecins agir avec intelligence.

Francis Valleray intervint en riant :

— Les femmes ont des raisons que la raison ne connaît pas, dit-il. Je suis obligé d'obéir à ma fiancée.

— Comme il vous plaira, mon cher. A vos risques et périls !

Comme le docteur traversait le vestibule, Mme Laurier ouvrit la porte de sa chambre et lui fit un signe. A voix basse elle confia :

— Christiane me cache quelque chose. Je garde des craintes. Ce fusil de chasse tombe vraiment du ciel. Je ne savais même pas que nous avions des armes, au grenier. A mon avis, il serait bon de faire une enquête. Qu'en pensez-vous, docteur ?

— Votre avis est le mien, chère madame. Tous les arguments de votre nièce sont d'une rigoureuse absurdité. Puisque vous me donnez pleins pouvoirs, je vous promets de tirer l'affaire au clair.

Le docteur Paul Milan rentra chez lui et comme toujours, dans les cas graves, il voulut consulter sa femme. Elle avait une manière si douce et si ingénieuse de débrouiller les écheveaux les plus emmêlés.

Mme Milan n'était pas dans le salon, ni dans la cuisine, ni à la buanderie, ni dans sa chambre. Le docteur l'appela à tous échos :

— Henriette ! Henriette !

Enfin une voix faible, ensommeillée, répondit:

— Oui, Paul, me voici.

Elle sortait du cabinet médical.

— Tiens, dit le docteur en riant, tu donnais une consul...

Il s'interrompit : la figure de sa femme était livide, son regard fixe, elle semblait à bout de souffle.

— Tu viens d'avoir une syncope. Ne le nie pas.

Elle tenait à la main un flacon d'éther.

— J'ai eu un malaise. Peu de chose. Je vais très bien maintenant. Mais c'est toi qui parais souffrant, mon chéri. (Elle n'osait pas ajouter :

Que se passe-t-il ? Visiblement, elle « savait ».)

— Assieds-toi sur le divan, ma chérie, je vais te raconter le fait du jour.

Elle écouta le récit rapide de son mari, d'un air triste, mais sa figure s'éclaira un peu lorsqu'il rapporta les paroles de Christiane, son refus de donner à l'affaire le moindre retentissement.

— Elle a raison. Les esprits se surexcitent facilement et la panique se communique comme le feu.

— Ma parole, tu ne montres guère de surprise, ma chérie. Les faits-divers sont pourtant rares dans notre commune.

— Je ne suis pas surprise, mon ami. Avant ton arrivée, j'avais entendu parler du malheur.

— Ce n'est pas un malheur. La victime tient bien sur ses pattes et je suis sûr qu'elle boit du thé au citron pendant que sa fiancée chante un lied de Schubert.

Mme Milan ne répondit pas. Le docteur demanda qui lui avait appris l'accident.

— Plusieurs personnes sont venues me voir depuis midi.

Il la regarda d'un air intrigué :

— Sait-on qui a fait le coup ?

Elle secoua tristement la tête.

Paul Milan ouvrit son annuaire téléphonique et le feuilleta en pestant contre les nouvelles méthodes de classification des abonnés.

Il décrocha le téléphone, glissa l'index dans le cadran et maugréa :

— Nous en aurons le cœur net.

Mme Milan, qui suivait ses gestes d'un air de somnambule, parut se réveiller ; elle dit avec épouvante :

— Que veux-tu faire ?

— Alerter la police d'Orléans. Rien de plus simple. Il s'agit de coffrer le coupable.

Elle retint son mari par le bras et souffla d'une voix éteinte :

— Et si c'était ton fils ?

— Que dis-tu ?

— Jérôme est parti ce matin avec un fusil. Il n'aime pas ce Valleray. Ne sais-tu pas qu'ils sont rivaux ?

Le regard tragique de sa femme fit comprendre au docteur l'inadmissible.

— Pour cette petite dinde ! Ah ! l'imbécile est réellement capable de tout.

Accablé, il s'assit devant son bureau et resta longtemps sans parler. Puis il explosa :

— Il est capable de tout. Je n'aurais pas dû l'envoyer à la chasse. La quête aux edelweiss, c'est tout ce qu'il faut à ce triste sire.

Mais soudain il fut saisi d'une nouvelle crainte. Où était Jérôme, à présent. Qu'allait-il faire ?

Mme Milan soupira sans répondre. Le docteur se leva ; il prit **sa** bicyclette et sortit.

XIX

Sous le rosier blanc

Des coups violents, rapides, à la porte du
jardin de la Loire, avaient mis Jérôme sur la
défensive. « Déjà ! pensait-il. Les gendarmes
étaient alertés. Le gros Noiraud le prendrait
familièrement par le bras :

— Allons, mon vieux, pas de résistance. Tu
sais bien que ça n'avance à rien. »

Il se précipita sur le guichet qu'il fit glisser
avec précaution. Derrière le grillage il aperçut
une petite figure de paradis. (Je n'ouvrirai
cette porte qu'à l'ange Gabriel, avait-il dit récemment.) Etait-ce un ange ? Il ne voyait que
des cheveux blonds, des yeux d'azur pleins de
tendre compassion. Une voix douce annonça :

— Il n'est pas mort !

Il ne répondit pas. Avait-il bien entendu ? Il
tremblait. Lydie répéta :

— Il n'est pas mort. A peine blessé et cette blessure n'a aucune gravité.

Jérôme referma le guichet. Lydie repartit en courant sur la route poudreuse.

— Il me semble que j'ai des ailes ! Je vais aussi vite que si j'étais motorisée.

Elle riait. Elle était heureuse. Pour une fois elle se rendait utile, elle aidait réellement ceux qu'elle aimait.

— Une journée si terrible, qui pouvait si mal finir. Il me semble qu'un mauvais sort est conjuré.

Elle entra comme un bolide chez Mme Milan.

— Ma chère petite ! Vous l'avez vu ? Que vous a-t-il dit ?

— Rien ! Mais j'ai lu dans ses yeux la délivrance.

Lydie essuya des gouttes de sueur sur son front. Mme Milan la prit par la main :

— Que Dieu vous bénisse, mon enfant. Reposez-vous. Il faut prendre une boisson chaude. Non rien de froid. Du thé ou du café.

Pendant qu'elle emmenait la jeune fille au salon, le docteur Milan frappait à son tour à la porte du jardin de la Loire.

— Jérôme, cria-t-il. M'entends-tu ?

Jérôme n'avait pas bougé. Il restait derrière le guichet, debout sous le rosier chargé de roses blanches. De nouveau la vie s'ouvrait devant lui. Une vie si belle. Il était pétrifié de bonheur.

(Il n'est pas mort. A peine blessé. Une blessure sans aucune gravité.)

Il lui semblait que l'immense regret de son geste avait eu un pouvoir rétrospectif. (Je ne voulais pas le tuer, je ne voulais pas le blesser.)

Oui, la vie, ce trésor, il le gardait, il en ferait bon usage. Il deviendrait un homme utile à tous. Un médecin peut-être. Il n'avait plus aucun dégoût, aucune répugnance.

La porte fut secouée violemment. La voix du docteur répétait :

— Jérôme ! Es-tu ici ? M'entends-tu ?

Le jeune homme se décida enfin à ouvrir. Le père le regarda longuement sans prononcer une parole. Il ne lui posa pas de question. Il ne lui fit pas de reproche. Il s'assit sur un banc dans l'allée fleurie, puis il dit :

— Ce rosier a besoin d'être taillé.

Jérôme fit un signe approbateur. Le père insista :

— C'est indispensable. Il donnera davantage de fleurs et elles seront plus belles. As-tu un sécateur, ici ?

— Non, père. J'en prendrai un à la maison.

Le docteur s'appuya au dossier du banc ; il reprit :

— J'ai été appelé chez les Laurier pour une écorchure. Un grain de plomb dans l'épaule de Francis Valleray. Il prétend s'être blessé lui-même. Un fichu maladroit. Il a dû se coucher sur un fusil chargé. Quel idiot ! Je tenais tout de même à faire un cliché, sa fiancée ne l'a pas voulu. On ne peut pas être plus royaliste que le roi. J'ai capitulé.

Jérôme ne répondit pas. Le père jeta un regard sur le fusil abandonné au milieu d'un parterre d'œillets.

— Et toi, dit-il, tu n'as rien pris, mon fils ?
— Non, rien.
— Cela ne m'étonne guère. Tu n'as jamais eu de goût pour ce sport. Il ne faut pas forcer son talent. Laisse-moi faire. J'ai repéré des poules d'eau, du côté des Hallays. Je prends le carnier.

Il saisit la sacoche en cuir et ramassa le fusil de chasse.

— Ne rentre pas trop tard, Jérôme. Nous dînerons de bonne heure, ce soir. Ta mère est un peu fatiguée.

Jérôme répliqua d'une voix sourde :
— Oui, père, à tout à l'heure.

Jérôme revint à la maison quelques instants avant le docteur. Mme Milan attendait son fils. Elle lui dit :

— Parle, mon petit. Ne crains pas de me faire de la peine. Je sais tout.

Il lui baisa les deux mains.

— Pardonne-moi, m'aman. J'aurais tant voulu l'écraser... l'écrabouiller.

Elle s'écria avec terreur :

— Jérôme ! Etait-ce prémédité ?

— Non.

— Donne-moi ta parole d'honneur.

— Bien sûr. Ne sais-tu pas que pour toi rien ne me coûterait. Si j'avais prémédité un meurtre, ta pensée m'aurait arrêté. Mais je ne me possédais plus. Valleray m'avait tourné en dérision. Je lui ai flanqué cette balle dans la peau comme je lui aurais dit le mot de Cambronne.

Je le regrette. Je tremble à la pensée du malheur que j'ai frôlé. Ah ! j'ai été protégé. A présent je suis guéri de ma folie pour Christiane.

Il me semble que des écailles sont tombées de mes yeux...

— Mon chéri, depuis plusieurs jours je te sentais en danger, comme on sent l'orage quand les nuages s'accumulent.

— Nous allons être heureux, si heureux, n'est-ce pas ? Pourquoi trembles-tu ainsi ?

— J'ai eu tant d'émotions dans cette journée.

— Pardonne-moi, reprit-il. Je suis prêt à réparer... Demande-moi tout ce que tu voudras. Je ne te refuserai jamais rien... jusqu'à mon dernier jour.

Madame Milan ne souhaitait plus que de voir son fils faire des excuses à Francis Valleray. Jérôme ne s'attendait pas à cette requête, mais il y accéda sans protester.

— J'y vais tout de suite. Et nous n'en parlerons plus.

Il se présenta chez madame Laurier. Les fiancés feuilletaient le catalogue d'une maison d'ameublement, assis dans la cour, à l'ombre d'un hêtre.

Aux premiers mots de Jérôme, Christiane l'interrompit :

— Ça va, mon vieux, ne te tracasse pas.

Et Francis ajouta :

— Nous avons chacun nos torts.

Jérôme revint chez lui en hâte. Le père était rentré. Il n'avait pas tué les poules d'eau. Aline Millet, soupçonnant son dessein, lui avait montré ses ruches et offert du sirop de framboises.

— Elle m'a dit que cette année, les fleurs et les fruits ont un parfum extraordinaire. Le miel sera d'une qualité excellente.

Ce soir-là, Mme Milan parla très longuement avec Jérôme. Elle lui donna des conseils, elle écouta ses promesses. Elle lui apprit le dévouement de Lydie :

— C'est elle qui est venue me rassurer la première. On eût dit qu'elle avait des ailes. J'apprécie beaucoup cette jeune fille. Je serais heureuse si, plus tard, tu pensais à elle.

Jérôme répondit qu'il n'avait aucun goût pour le mariage.

XX

Céphée revenue

Le coup de fusil qui avait manqué Francis
Valleray ne manqua pas Henriette Milan. Le
lendemain du drame, elle s'alita, prétextant une
grande fatigue. Mais le vieux docteur découvrit
tout de suite des symptômes si graves qu'il
appela le professeur Var. Celui-ci n'ajouta rien
aux prescriptions de Paul Milan. Il se contenta d'observer :

— Repos au lit vingt-quatre heures sur vingt-
quatre.

Jérôme redoubla de prévenances et d'atten-
tions envers la malade. Il refusait de croire
qu'aucun remède ne pourrait prolonger la vie
de sa mère.

Chaque matin, Henriette Milan disait à son
mari et à son fils :

— Je me sens mieux qu'hier. Je me lèverai bientôt.

Mais les ravages de la nuit apparaissaient trop clairement sur son visage pour que les deux hommes fussent capables de la croire. Le docteur l'auscultait, aucune aggravation n'était pourtant perceptible. Il espérait que des précautions infinies éloigneraient quelque temps la terrible menace.

Jérôme portait à sa mère des fleurs du jardin de la Loire. Il lui lisait ses livres préférés. Elle avait beau le supplier de se distraire, d'aller à Paris, il ne voulait pas la quitter.

Une nuit, comme le docteur était appelé à la ferme des Halliers, à trois kilomètres du bourg, il frappa à la porte de son fils et il lui dit :

— Reste près de ta mère.

Jérôme entra sur la pointe des pieds dans la chambre éclairée par une veilleuse. La malade ne dormait pas. Elle parut très heureuse de voir son fils, mais elle assura qu'elle n'avait besoin de rien.

— Va te reposer, mon chéri.

— Je ne suis pas fatigué. J'ai dormi plusieurs heures. En l'absence de père, je te tiendrai compagnie.

Elle le pria d'ouvrir la fenêtre. Il obéit et s'écria en regardant le ciel :

— Céphée est revenue ! Te souviens-tu, mère, tu m'as appris le nom des étoiles. Voici déjà celles de septembre : les trois perles au bout d'un fil, Céphée ; puis Cassiopée, et Persée... Andromède.

Il fut soudain transpercé d'une évidence. Ces étoiles si belles, Francis et Christiane les contempleraient bientôt ensemble. Comme si elle devinait sa pensée, la mère soupira.

— A quoi penses-tu, maman ?

— A toi, mon chéri.

— Il ne faut penser qu'à toi et à ta guérison. Le reste n'est rien, tu peux me croire. Je me moque de tout le reste, je te le promets.

— Chéri, je voudrais tant te voir passer la journée de demain à Paris.

— La journée ? Pourquoi donc ?

Elle ne répondit pas. Alors il se souvint et demanda en riant :

— Pour ne pas entendre les cloches du mariage ? Est-ce bien cela ? Le mariage de Christiane et de Francis ? Ah ! Mère chérie, je m'en moque mille fois plus que de l'an quarante.

— Puis-je vraiment te croire, mon petit enfant. N'as-tu pas de regret ?

— Oh ! si, mère, j'ai un regret sans fond, sans bornes. Je n'aurais pas dû te faire part de mes folles préoccupations... J'ai bien peur d'être la cause de ton mal.

Elle s'efforça de le rassurer. Au contraire,

la confiance que son fils lui témoignait lui avait toujours semblé si bonne.

— Tu as été la joie de ma vie, dit-elle.

Il reprit d'un ton de reproche :

— Ne parle pas au passé. Attends un peu. Plus tard, j'espère bien que tu me rendras ce témoignage.

Le lendemain du mariage de Christiane et de Francis, Lydie vint dire adieu à madame Milan. Elle resta quelque temps seule au chevet et se retira en feignant l'insouciance :

— Elle va beaucoup mieux, dit-elle à Jérôme. Quand vous reverrai-je, professeur ?

— Vous n'avez plus besoin de moi, Lydie. Vous pouvez prendre des élèves vous-même et les guider très bien. Ne vous ai-je pas donné une bonne méthode ?

— Sans aucun doute, professeur.

Pendant la première quinzaine d'octobre l'état de la malade empira, mais sa lucidité semblait accrue. Elle se faisait lire par Jérôme les programmes des Cours des Facultés et après une longue réflexion, elle lui conseilla de renoncer aux études médicales. Il devait préparer l'agrégation de philosophie.

— Tu passeras ta licence sans difficulté. Tout ira bien. Sois tranquille.

A voix plus basse, elle ajouta :

— Je veillerai sur toi, mon chéri.

Elle parlait avec sérénité de son départ. Jé-

rôme l'écoutait en refoulant son émotion. Il
s'efforçait de lui faire croire qu'elle guérirait.
Il voulait le croire lui-même. Elle hochait la
tête sans répondre. A son mari, elle confiait :

— Je vais vous laisser tous les deux seuls à
la maison. Comment vous débrouillerez-vous ?

Elle ajoutait :

— Sois indulgent et patient envers ton fils,
mon chéri.

Et à son fils, elle recommandait :

— Sois bon pour ton père.

Jérôme s'aperçut que le visage de la malade
s'éclairait lorsqu'il lui parlait de ses premières
années. Il évoquait l'enfance, les jeux d'autrefois, à la veillée, quand il était seul avec elle,
en l'absence du docteur. Elle avait tant de
façons ingénieuses de distraire son enfant.

— Te souviens-tu, maman, de ce drôle de petit
jeu, celui des grains de café. Il fallait cacher
dans son poing fermé quelques grains de café.
Le joueur devait deviner la fortune de son partenaire et prononcer un chiffre au hasard.

Elle répondit, toute égayée :

— Tu excellais à me tromper, mon chéri. Tu
gonflais de ton mieux ton petit poing et je disais : Vingt-cinq ! Ou encore : Trente-deux,
alors qu'il n'y avait plus rien.

Cette fois, Jérôme ne souriait pas. Il devinait
la pensée de la malade. Au creux de la main
bien-aimée, il restait un tout petit grain.

Il se hâtait de parler d'un sujet plus joyeux, mais tout finissait par lui faire mal au cœur et la mère le comprenait, elle lui disait :

— Rien ne brisera notre affection. Ne l'oublie jamais.

Trois jours avant la Toussaint, madame Milan mourut. Francis et Christiane finissaient leur voyage de noces en Sicile. Lorsque Christiane reçut le faire-part, elle dit à son mari :

— Ce pauvre Jérôme n'a pas de chance.

Et Francis Valleray répliqua :

— C'est bien ce que j'ai toujours dit. Il est né sous une mauvaise étoile.

XXI

Les poussins à plumes roses

Le long des quais, à Paris, Jérôme parlait à mi-voix, comme pour lui seul. Lydie le suivait silencieusement.

— Pourquoi dit-on repos de l'âme, plutôt que voyage de l'âme ? Parce que la plupart des hommes meurent fourbus. Et pourquoi ne grave-t-on pas sur les tombes, à côté de la date de naissance, ces mots : Mort de chagrin — Mort de fatigue — Mort de faim ?

Lydie songeait :

« Si je restais en route, si j'entrais dans n'importe quel magasin, il ne s'apercevrait même pas de mon absence. »

Elle essaya de s'attarder devant une vitrine. Le jeune homme se détourna et l'attendit :

— Je me demande bien ce qui peut vous intéresser dans cet étalage, gronda-t-il.

— Les poussins vivants à plumage rose et mauve. Ils ont l'air si peu poussins et si peu vivants. Savez-vous que ces couleurs s'obtiennent au moyen d'une piqûre dans l'œuf ?

Jérôme revint sur ses pas et regarda les volatiles en cage. Il haussa les épaules :

— Le monde n'a pas encore atteint son maximum de folie. Mais si nous vivons seulement dix années, ma petite fille, nous verrons des choses curieuses.

Après avoir erré sur les quais, ils parvinrent dans l'île Saint-Louis. Comme si le petit café où Francis et Christiane avaient tiré les rois exerçait sur eux une attraction, ils y entrèrent.

— Que voulez-vous boire, Lydie ? Un grog ? Un jus de fruit ?

— Un quart Vichy.

Ils prirent place à une table, près du comptoir. Comme Lydie trempait ses lèvres dans son verre, Jérôme lui sourit avec tant de tendresse qu'elle rougit de bonheur.

— Vous êtes une bonne petite fille, voilà ce que je voulais vous dire.

Elle se rembrunit.

— Les bonnes petites filles, on ne les aime pas, dit-elle. On leur préfère les personnes éblouissantes.

— Quelles personnes éblouissantes ? Vous en connaissez, vous ?

— Oui.

— Vraiment ? Eh bien, je ne vous demande pas de nom, Lydie, car je m'en moque éperdument.

Après un long silence, il reprit sur le ton du monologue :

— Deux amoureux... L'un cherche dans l'autre quelque chose de lui-même... Un reflet de sa propre image. L'accord est fragile et illusoire. La séparation survient... L'un s'aperçoit alors que l'autre (comme il convient à un reflet) n'avait jamais fait un pas vers lui et qu'il lui est aussi impossible de joindre l'aimé que de faire sortir du miroir sa propre image.

— Vous ne croyez donc pas à l'amour, Jérôme ?

— Moi ? J'y crois plus qu'à ma propre existence.

Il n'en dit pas davantage, paya les consommations et entraîna de nouveau Lydie sur les quais. Elle l'interrogea :

— Que faites-vous, chez vous, professeur ?

— La vaisselle et le ménage.

— Mais votre licence ?

— J'ai pris mes inscriptions. Il y a beau jour que je me la suis fait passer à moi-même. Je n'ai plus qu'à attendre le verdict.

— Et votre livre ?

— Vous êtes bien curieuse. Ne sentez-vous pas comme le vent est froid. Rentrez chez vous !

Lydie quitta Jérôme, emportant dans son cœur

le souvenir de ce sourire si bon, si tendre. Il
fallait se contenter de peu. Elle écrivit à Christiane.

« Je l'ai rencontré ce soir. Nous sommes
sortis ensemble. A six heures il m'a congédiée
sans explication. Je l'aurai suivi jusqu'à la
gare. Jusqu'au bout du monde. »

XXII

Il croyait à l'amour

Un temps clair, de la neige dans les jardins et sur les toits. Lydie voyait monter des rayons blancs qui se mêlaient à la lumière du soleil et l'embellissait encore. La neige à présent gelée avait été tout d'abord douce et moelleuse et chaque brin d'herbe était transformé en curieuse plante. Il y avait un arbre formé d'épées blanches, un autre d'éventails nacrés, et la pensée venait à la jeune fille qu'elle avait enfin sous les yeux et les mains, à portée de ses dents, de sa langue, un de ces nuages qui volent dans le ciel un beau jour.

Elle se sentait de plus en plus heureuse à Mai-sur-Loire. Cette année elle prolongeait ses vacances du nouvel an auprès de madame Laurier, tandis que Francis et Christiane s'adonnaient aux sports d'hiver.

Elle comptait rencontrer plus souvent Jérôme,
mais il restait invisible. Il lui avait envoyé des
vœux : une carte :

Bonne année,
Je travaille. Faites comme moi.

Elle écrivait à Christiane Valleray :

« Il » est de plus en plus énigmatique, mais
il a l'air moins malheureux. J'en suis bien
contente. »

Christiane lui répondit :

« Merci pour les nouvelles du pauvre garçon. Sa mère doit l'aider. »

Elle ne se trompait pas. Jérôme avait le
sentiment d'une douce présence. Oui, il pouvait
le dire à toutes les filles à marier qu'il croyait
à l'amour, mais il s'agissait de cet amour que
rien ne brise et n'interrompt, ni les déceptions,
ni les drames, ni les fautes, ni la mort.

La nuit du premier janvier, il s'éveilla moins
triste que de coutume en dépit de ses souvenirs.
Il se leva. Son cahier était sur sa table. Il le
prit et écrivit.

Pendant douze jours et douze nuits, presque
sans interruption, il écrivit comme sous la dictée
d'un autre lui-même. On eût dit qu'il se dédou-
blait ou qu'un ange lui parlait à l'oreille.

A la fin du mois, il posa sur le bureau de son
père les pages couvertes d'une écriture fine et
serrée.

Ce soir-là, le docteur Milan revenait de sa tournée, il jeta sur la table de l'antichambre ses gants de grosse laine et son feutre noir. Il prit dans la cuisine un bol de café, puis il remonta la vieille horloge. Dans toute la maison un air d'abandon et de tristesse étreignait le cœur. Il cria, au seuil de l'escalier :

— Jérôme, es-tu dans ta chambre ?

A ce moment, il entendit un bruit sourd dans la cave. Jérôme fendait du bois pour le calorifère. Le vieillard n'insista pas. Il entra dans son bureau. Il vit tout de suite le cahier de son fils, « Temps-Espace ». Il s'assit et le lut.

Les coups de hache avaient cessé dans la cave. Le silence de nouveau tissait sa toile entre les murs glacés et humides. Le docteur ne sentait plus la faim ni le froid. Le chagrin même s'apaisait. Sur la cheminée, la pendule criarde sonnait les heures, les demies. Il ne l'entendait pas.

Lorsqu'il arriva au dernier chapitre intitulé « Hors du temps et de l'espace », le jour se levait. Deux larmes roulèrent sur le papier. Des larmes de joie. Son fils s'était approché bien près du domaine inexploré par les vivants. Il n'avait plus envie de plaisanter et de dire : « Bigre, tu as des ailes bien longues », puisque l'envergure de ses ailes lui permettait d'atteindre l'inaccessible.

Un faible soleil d'hiver perçait le brouillard

quand Jérôme descendit de sa chambre. Son père vint à lui, les mains tendues :

— Ta mère t'a inspiré, mon fils, dit-il. Souvent elle répétait que la lecture de ton premier chapitre lui avait donné la plus grande joie de sa vie. Maintenant tu m'apportes la plus grande consolation.

Très ému, Jérôme observa :

— Ton approbation me fait plaisir, père. J'ai voulu offrir une couronne à ma reine. Je ne me soucie pas d'autre chose.

— Tu peux te vanter de lui avoir ciselé un beau diadème, mon ami... Les grands esprits te donneront leur amitié, les médiocres leur haine. Quant à ceux de l'autre monde, j'ai la preuve qu'il sont tes alliés.

Il versa de nouveau du café dans son bol. D'un ton presque timide, il demanda à son fils :

— Quel sentiment éprouves-tu, à présent, Jérôme.

— C'est bien simple, père. Je me sens allégé.

Et le docteur n'osait pas dire qu'il éprouvait la même impression heureuse.

Longuement les deux hommes causèrent avec un tel enthousiasme, une si parfaite harmonie qu'ils ne s'aperçurent pas du temps qui coulait.

Quand le téléphone sonna, le docteur Milan répondit à l'appel d'un malade :

— Je serai chez vous avant midi.

La voix prit alors une expression de vraie stupeur :

— Mais, docteur, midi est largement passé. Il est deux heures et demie.

Alors le père dit à son fils :

— Peu s'en est fallu que tu me fasses passer un siècle dans l'extase comme l'oiseau de la forêt dans la légende moyenâgeuse.

Il prit sa trousse ; Jérôme l'accompagna jusqu'à la porte de la cour.

— Je ne te laisse pas seul, n'est-ce pas, mon garçon, remarqua le vieillard. Je ne me tourmente plus pour toi. Je ne me tourmenterai plus jamais à ton sujet.

Il sortit en hâte. Les gens de Mai qui le virent passer chuchotèrent :

Notre docteur est tout rajeuni. Peut-être songe-t-il à se remarier. Les hommes ne savent pas garder un souvenir plus d'une année.

XXIII

Les abeilles du Liban et celles de Mai-sur-Loire

La mère Millet envoyait à Beyrouth du miel
de ses abeilles. Elle écrivait elle-même l'adresse
de Christiane Valleray. Le jeune docteur avait
obtenu un poste d'assistant dans une clinique
libanaise. A son tour Christiane expédiait à sa
vieille amie du miel formé avec les plus belles
fleurs du monde :

« Goûtez-y.

« Vous me direz ce que vous en pensez. »

Aline répondait :

« Il est très bon.

« Vos abeilles connaissent bien leur métier. »

Christiane expédiait à sa tante des abricots
de Damas, des dattes de Beyrouth, des images
de ses randonnées en Orient. Lydie lui écrivait
chaque semaine. Elle lui parlait toujours de
Jérôme et du vieux docteur :

« Chère Christiane,

« A mon tour, je vous livre mon secret. Je
« ne me lasse pas. Je ne me lasserai jamais.
« Il « leur » faut une femme pour le ménage
« et la cuisine. Il leur faut un médecin pour
« aider le pauvre vieux dans ses tournées. Ils
« sont si courageux l'un et l'autre. Je dois pou-
« voir remplir un jour ces deux rôles... Essayez
« de comprendre, mon amie. Ne me découragez
« pas. Ne me dites pas que ce sera trop dur,
« trop difficile pour ma faible intelligence... »

Christiane se gardait bien de la décourager :

« Non, Lydie, ces études ne seront pas trop
« dures pour votre intelligence, et rien ne sera
« jamais trop difficile pour votre cœur. »

Ainsi s'écoulèrent cinq années. Jérôme avait
passé avec succès le concours d'agrégation. Son
livre « Temps-Espace » imprimé aux frais du
docteur, était déjà traduit en sept langues. De
temps à autre, Lydie rencontrait le jeune homme dans le hall de la Sorbonne ou dans un
salon de Mai-sur-Loire. Ils parlaient peu l'un
et l'autre mais ils se comprenaient. Elle avait
bien caché à son ancien professeur le secret
de sa vie d'étudiante. Un jour de juin, il lui
demanda :

— Que faites-vous donc, Lydie ? Vous paraissez bien prise par de mystérieux travaux. Vous

avez les traits tirés, l'air exténuée. Quel examen préparez-vous ?

Lorsqu'il sut qu'elle avait franchi les étapes de l'externat, il parut profondément surpris :

— Vous, médecin ? Par exemple.

— Oui, moi.

— Et quelle spécialité ?

— Aucune. La médecine générale.

Elle n'en révéla pas davantage. Pour éviter les questions gênantes, elle interrogea Jérôme Milan. Que devenaient les bonnes gens de Mai-sur-Loire ?

— Rien à signaler. Vous verrez tout le monde aux vacances.

Aline Millet tenait la place de servante au foyer du docteur. Elle venait chez lui tous les matins à dix heures et repartait à seize heures.

— J'ai gardé ma liberté, disait-elle aux femmes du pays. Je fais ce que je veux. Et jamais un reproche.

Aline Millet n'avait pas le sens de l'ordre. Elle croyait pouvoir fabriquer de la cire avec une mixture de son invention qui laissait des traces blanches sous les pas des visiteurs.

— Les parquets luisants comme des miroirs, disait-elle, c'est bon pour ces cages à poulets des villes où les gens vivent entassés.

Elle n'hésitait pas à repriser des chaussettes noires avec de la laine bleue.

— Cela ne se voit pas, déclarait-elle. Qui vous demandera d'ôter vos souliers ?

Si elle était souvent exaspérante, parfois elle observait devant le docteur Milan : « Votre pauvre femme disait... » et devant Jérôme : « Votre pauvre maman aimait telle chose... » Elle rapportait un fait inconnu des deux hommes et cela était pour eux d'un prix infini.

Le soir, elle regagnait sa cabane, soignait ses ruches, parlant doucement aux abeilles. (Les abeilles aiment les confidences, assurait-elle. Si vous leur cachez vos pensées, vos soucis, elles vous quittent.) Sans cesse elle se plaignait devant le petit toit si léger qui abritait les travailleuses :

— Abeilles, disait-elle, ce pauvre garçon n'a toujours pas de femme.

Les abeilles connaissaient bien Jérôme. Elles savaient qu'il était capable de rendre une femme heureuse, surtout une femme délicate et bonne comme Lydie.

Lorsqu'elles allaient puiser au cœur des roses de la Loire, elles voyaient cet été la jeune fille assise sur le banc à côté de Jérôme. Les plaintes d'Aline n'avaient donc plus de sens.

— Et vous savez, dit un soir la mère Millet, ça y est, cette fois, elle a son grade de docteur. Et j'ai vu le vieux Milan qui l'embrassait. Je crois que tout va s'arranger.

A certains symptômes, une femme d'expérience comme Aline Millet pensait que Jérôme aimait Lydie. Pourquoi ne se déclarait-il pas ?

— Si j'étais vous, je prendrais les devants, ma petite.

Lydie préférait attendre encore.

Cependant, à Beyrouth, on s'inquiétait. Christiane annonçait à Lydie la naissance de son premier fils :

« Je pensais apprendre enfin vos fiançailles. Que se passe-t-il ? »

Lydie répondait :

« Rien. J'ai résolu de m'éloigner un peu, de ne pas trop imposer ma présence. »

Si elle accompagnait sa sœur Simone en voyage, Lydie écrivait aussitôt à Christiane Valleray :

« Loin de Mai-sur-Loire, je m'ennuie. Nous avons passé huit jours à Saint-Jean-de-Luz, chez des amis qui ont une villa entièrement couverte de fleurs. Les terrasses donnaient sur la mer. Il y avait des pins embaumés, des arbres de toutes essences, des allées profondes d'où l'on apercevait des déchirures bleues couvertes d'écume et de soleil. J'ai mis le maillot de bain à la mode qui remplace le bikini. J'ai pris des bains de mer et de soleil. J'ai les bras et les jambes noirs, la figure pain brûlé. J'ai fait de la course et du saut sur des étendues de sable humide et ferme, bourrelé d'empreintes formées par les vagues. J'ai vu des pêcheurs sortir leurs filets et jeter sur le sable des poissons qui palpitaient, tressautaient et s'en allaient avec une rapidité étonnante pour échapper au couteau des hommes. Ceux-ci coupaient les têtes, vidaient les poissons pendant que de gros crabes leur mordaient les chevilvilles. Un pêcheur coupa la patte d'un crabe et je vis le crabe blessé s'enfuir de travers avec une lenteur misérable, vers le bord de l'eau.

« Alors j'ai immédiatement fait un rapprochement, une comparaison… Celui qui a été blessé par vous, abandonné, ma chérie. Son souvenir me suit partout et tout me fait penser à lui, jusqu'à la patte d'un crabe. Par bonheur je le sens plus près de moi, plus confiant. Il m'a dit récemment :

« Vous êtes la seule jeune fille avec qui je puisse parler et m'entendre. »

A la fin du mois de septembre, de retour à Mai-sur-Loire, Lydie se décida à suivre le conseil d'Aline Millet. Elle envoya ce billet à Jérôme :

« Cher professeur,

« Je vais vous dire mon secret, le dernier de
« tous. Après cela il n'y en aura plus d'autre,
« non, jamais.

« Je vous aime.

« Je mets cette lettre sous les branches de

« votre rosier. Si elle vous irrite, vous la jet-
« terez au feu.

« Lydie. »

Elle n'attendit pas longtemps sa réponse.
Mais selon sa coutume, Jérôme commença par
lui poser une question :

— Je croyais que vous cherchiez la septième
terre ?...

Elle baissa la tête. Il reprit :

— Suis-je capable de vous y conduire ?

Elle répondit :

— Ne l'ai-je pas trouvée ? Après tout, la
septième terre, c'est peut-être cette vallée de
larmes, d'angoisse, de joies, de recherche, d'a-
mour et finalement si proche du ciel.

Alors Jérôme tira de sa poche un portefeuille
où il avait placé précieusement le billet de la
jeune fille.

— Le rosier m'a apporté une lettre, dit-il en
souriant.

Elle pâlit d'espoir et de bonheur. Jérôme
ajoutait :

— Je ne l'ai pas jetée au feu, Lydie. Je n'en
avais nulle envie, ma bien-aimée. Je la gar-
derai jusqu'à mon dernier jour.

FIN

Collection Romance au coin du feu

Titres Parus:

No: 13 Coeur pour Coeur
        Magda Contino $ 1.50
No: 14 Le Maître de Forges
        Georges Ohnet $ 1.50
No: 15 Lettre à un amour perdu
        Christine Marquis $ 1.50
No: 16 Le chant de la forêt
        Claude Morvan $ 1.50
No: 17 La Terre des sept couleurs
        France Maurice $ 1.50
No: 18 Le secret des orchidées
        Nelly Brigitta $ 1.50
No: 19 Un amour impossible
        Georges Ohnet $ 1.50
No: 20 L'Arche de Noé
        France maurice $ 1.50
No: 21 Le manoir de Catherina Cay
        Jacquelyn Aeby $ 1.50
No: 22 Un coeur dans la tempête
        Jacquelyn Aeby $ 1.50
No: 23 Les Amoureux de la Clairière
        Jacquelyn Aeby $ 1.50
No: 24 Comme chien et chat
        France Maurice $ 1.50

CITIZENSHIP
283-6819

Imprimé au Canada